A BARATA

IAN McEWAN

# A barata

*Tradução*
Jorio Dauster

COMPANHIA DAS LETRAS

Copyright © 2019 by Ian McEwan

*Grafia atualizada segundo o Acordo Ortográfico da Língua Portuguesa de 1990, que entrou em vigor no Brasil em 2009.*

*Título original*
The Cockroach

*Capa*
Claudia Espínola de Carvalho

*Fotos de capa*
halimqd/ Shutterstock (barata);
Steve Allen/ Shutterstock (tampa do bueiro)

*Preparação*
Ciça Caropreso

*Revisão*
Marina Nogueira
Valquíria Della Pozza

Dados Internacionais de Catalogação na Publicação (CIP)
(Câmara Brasileira do Livro, SP, Brasil)

McEwan, Ian
    A barata / Ian McEwan ; tradução Jorio Dauster. — 1ª ed.
— São Paulo : Companhia das Letras, 2020.

    Título original: The Cockroach
    ISBN 978-85-359-3310-9

    1. Ficção inglesa I. Título

19-31826                          CDD-823

Índice para catálogo sistemático:
1. Ficção : Literatura inglesa   823

Cibele Maria Dias – Bibliotecária – CRB-8/9427

[2020]
Todos os direitos desta edição reservados à
EDITORA SCHWARCZ S.A.
Rua Bandeira Paulista, 702, cj. 32
04532-002 — São Paulo — SP
Telefone: (11) 3707-3500
www.companhiadasletras.com.br
www.blogdacompanhia.com.br
facebook.com/companhiadasletras
instagram.com/companhiadasletras
twitter.com/cialetras

*A Timothy Garton Ash*

Este conto longo é uma obra de ficção. Como os nomes e personagens são produto da imaginação do autor, qualquer semelhança com baratas reais, vivas ou mortas, é mera coincidência.

UM

Naquela manhã, Jim Sams, inteligente mas de forma alguma profundo, acordou de um sonho inquieto e se viu transformado numa criatura gigantesca. Permaneceu por bom tempo deitado de costas (não que fosse sua posição predileta) e contemplou, consternado, seus pés distantes, a escassez de membros. Apenas quatro, obviamente, e bastante rígidos. Suas perninhas marrons, das quais já sentia alguma nostalgia, estariam se agitando alegremente no ar, embora sem a menor utilidade. Ele permaneceu imóvel, decidido a não entrar em pânico. Um órgão, um pedaço de carne úmida e escorregadia, estava plantado em sua boca — repugnante, sobretudo quando se movia por conta própria a fim de explorar a vasta caverna de seu orifício bucal e, ele notou com mudo espanto, de deslizar por uma imensidão de dentes. Percorreu com os olhos toda a extensão de seu corpo. A coloração dele, dos ombros aos tornozelos, era de um azul pálido, com fios azuis mais escuros em volta do pescoço e dos pulsos, bem como botões brancos numa linha vertical ao longo do tórax não segmentado. Ele aceitou como sendo sua respiração a brisa leve que soprava de quando em quando, trazendo um odor agradável de comida em decomposição e álcool de cereais. Sua visão tinha infelizmente se estreitado — ah, que saudade de um olho composto —, e tudo que via era opressivamente colorido. Começava a entender que, em virtude de uma grotesca inversão, sua pele vulnerável se encontrava do lado de fora do esqueleto, sendo agora, por tal razão, totalmente invisível para ele. Que alívio teria sido vislumbrar aquele marrom nacarado tão familiar!

Tudo isso era deveras preocupante, porém, à medida que foi ficando mais desperto, ele se lembrou de que estava engajado numa missão importante e solitária, embora no momento fosse incapaz de recordar qual era. Vou chegar atrasado, pensou, ao tentar erguer do travesseiro uma cabeça que devia pesar uns cinco quilos. É muito injusto, disse a si mesmo. Não mereço isso. Seus sonhos fragmentários tinham sido profundos e conturbados, repletos de vozes ásperas e ecoantes em constante divergência. Só agora, quando sua cabeça tombou de volta, ele começou a ver mais além do sono e trouxe à mente um mosaico de recordações, impressões e intenções que escapavam para todos os lados quando ele tentava apreendê-las.

Sim, ele tinha ido embora do agradavelmente decadente Palácio de Westminster sem nem dizer adeus. Teve de ser assim. Discrição era tudo. Sabia disso sem que lhe tivessem dito. Mas quando exatamente se pusera a caminho? Sem dúvida depois de escurecer. Na noite anterior? Uma noite antes ainda? Ele teria saído pelo estacionamento subterrâneo. Teria passado pelas botas reluzentes do policial na entrada. Agora se lembrava. Sem se afastar da sarjeta, havia seguido rapidamente até alcançar a ponta do tenebroso cruzamento da praça do Parlamento. Diante de uma fila de veículos impacientes para esmagá-lo no asfalto, ele disparou rumo à calçada do lado oposto. Feito isso, foi como se uma semana houvesse transcorrido até que atravessasse outra rua apavorante para enfim chegar ao lado certo do Palácio de Whitehall. E depois? Sem dúvida tinha corrido por muitos metros e parado. Por quê? A lembrança voltava aos poucos. Respirando ofegante por todos os espiráculos de seu corpo, ele havia descansado perto de um simpático bueiro a fim de matar a fome com um pedaço de pizza que alguém havia jogado fora. Não conseguiu comer tudo, mas fez o melhor que pôde. Por sorte, era de margherita. Segundo lugar em sua preferência. Sem azeitonas. Pelo menos naquela porção.

Sua incontrolável cabeça, ele descobriu, podia girar cento e oitenta graus com pouco esforço. Voltou-a então para um lado. Estava num pequeno quarto de sótão, desagradavelmente iluminado pela luz do sol da manhã, porque as cortinas não tinham sido fechadas. Havia um telefone na mesinha de cabeceira, não, dois telefones. Seu olhar limitado percorreu o tapete até se fixar no rodapé e numa pequena fenda ao longo da extremidade inferior. Eu poderia me esgueirar por ali para evitar a luz da manhã, ele pensou, tristonho. Eu poderia ser feliz. Do outro lado do quarto havia um sofá e, na mesinha baixa à frente dele, um copo de cristal e uma garrafa de uísque vazia. Sobre uma poltrona, um terno e uma camisa lavada e dobrada. Numa mesa maior perto da janela, viu duas pastas quadradas, uma em cima da outra, ambas vermelhas.

Ele estava pegando o jeito de mover os olhos, agora que havia compreendido como eles se mexiam eficientemente juntos sem sua ajuda. Em vez de deixar que a língua pendesse para fora dos lábios, pingando de vez em quando alguma coisa em seu peito, observou que ela ficava mais confortavelmente guardada dentro dos limites gotejantes de sua boca. Horrível. Mas estava aprendendo a controlar sua nova forma. Aprendia depressa. O que o preocupava era a necessidade de tratar de seu assunto. Importantes decisões precisavam ser tomadas. De repente, um movimento no chão chamou sua atenção. Era uma pequena criatura com a forma anterior dele, sem dúvida o antigo proprietário do corpo que ele agora ocupava. Observou com certo interesse protetor enquanto a pequena coisa lutava para vencer os fios do tapete felpudo ao se encaminhar para a porta. Lá, ela hesitou, suas duas antenas vibrando de modo indeciso, com toda a inépcia de um principiante. Por fim, ela reuniu coragem e enveredou por baixo da porta para iniciar uma descida difícil e perigosa. Era um longo trajeto de volta ao palácio e haveria muitos riscos pelo caminho. No entanto, caso lá chegasse sem ser pisoteada, encontraria, por trás dos lambris do palácio ou debaixo do assoalho, segurança e consolo em meio a milhões de irmãs. Ele lhe desejava sucesso. Mas agora precisava cuidar de seus próprios problemas.

Contudo, Jim não mexeu um músculo. Nada fazia sentido, qualquer movimento era inútil até que entendesse a empreitada, os eventos que o haviam conduzido a um quarto desconhecido. Depois daquela refeição acidental, ele havia disparado outra vez, mal e mal consciente da agitação acima dele, concentrado em se manter sob a sombra da sarjeta, embora não lembrasse por quanto tempo e ao longo de qual distância. O que sabia ao certo é que enfim se deparou com um obstáculo bem mais alto que ele, uma pequena montanha de estrume ainda quente e algo fumegante. Em qualquer outro momento, teria ficado contente. Considerava-se um connaisseur. Sabia viver bem. Imediatamente identificaria aquela remessa específica. Quem confundiria aquele aroma de nozes com toques de petróleo, casca de banana e sabão para selas de couro? A Guarda Montada! Mas seria um erro comer entre as refeições. A margherita o havia deixado sem apetite por excremento, apesar de fresco e de boa qualidade, e, dada sua crescente fadiga, sem nenhuma disposição de escalá-lo. Agachou-se à sombra da montanha, em seu sopé tenro, e examinou as opções que tinha diante de si. Após um instante de reflexão, ficou claro o que devia fazer. Começou a galgar a parede vertical de granito no meio-fio para contornar o monte de estrume e descer do outro lado.

Reclinado agora no sótão, ele concluiu que naquele exato momento tinha se separado de seu livre-arbítrio, ou da ilusão dele, ficando sob a influência de uma força maior que passou a guiá-lo. Ao subir na calçada, como fez, ele se submeteu ao espírito coletivo. Era um diminuto elemento num esquema de tal magnitude que nenhum indivíduo por si só seria capaz de compreender.

Chegando ao topo do meio-fio, notou que as fezes se estendiam por um terço da calçada. Então, sabe-se lá vinda de onde, viu-se sacudido por uma repentina tempestade, o trovejar de dez mil pés, cantos, sinetas, assobios, trompetes. Outro protesto barulhento. Tão tarde da noite! Gente desordeira criando confusão quando deveria estar em casa. Nos últimos tempos, aquelas manifestações eram realizadas quase toda semana. Desorganizando os serviços vitais, impedindo as pessoas comuns e decentes de cuidar de seus legítimos afazeres. Ele se imobilizou no meio-fio, esperando ser esmigalhado a qualquer instante. Solas de sapatos quinze vezes mais compridas do que seu corpo martelavam o chão a centímetros de distância de onde ele se encolhia, fazendo as antenas e a calçada tremerem. Teve muita sorte quando, em certo momento, resolveu olhar para cima movido por puro fatalismo. Estava pronto para morrer. Mas então viu uma oportunidade — um intervalo no desfile. A onda seguinte de manifestantes estava distante cerca de cinquenta metros. Viu cartazes tremulando, bandeiras sendo agitadas, estrelas amarelas num fundo azul. Bandeiras do Reino Unido também. Ele nunca correu tão rápido em toda a sua vida. Respirando com dificuldade por todas as traqueias nos segmentos de seu corpo, alcançou o lado oposto perto de um pesado portão de ferro segundos antes que se aproximassem de novo os trovões das passadas horrendas, as vaias e os toques brutais de tambor. Invadido pela mistura inconveniente de pavor mortal e indignação, fugiu às pressas da calçada e, a fim de salvar sua vida, se esgueirou por baixo do portão e entrou no santuário de uma rua secundária relativamente tranquila, onde de imediato reconheceu o salto de uma bota usada pelos policiais. Reconfortante como sempre.

E depois? Seguiu pela calçada vazia, passando em frente a uma série de residências luxuosas. Ali ele estava certamente cumprindo o plano. O inconsciente coletivo criado pelos feromônios de sua espécie lhe proporcionava uma compreensão instintiva do rumo a tomar. Depois de avançar por meia hora sem sobressaltos, fez uma pausa, como estava fadado a fazer. Do outro lado da rua, havia um grupo de uns cem ou mais fotógrafos e repórteres. Do seu lado, viu uma porta guardada por outro policial. Naquele instante, a porta foi aberta e uma mulher de salto alto pisou na calçada, quase perfurando o nono e o décimo segmentos abdominais dele. A porta permaneceu aberta. Talvez um visitante estivesse sendo aguardado. Naqueles poucos se· gundos, Jim notou um corredor convidativo e suavemente iluminado, com rodapés arranhados — sempre um bom sinal. Obedecendo a um repentino impulso que agora sabia não ser seu, entrou correndo.

Nas suas condições incomuns, deitado numa cama nada familiar, parecia incrível que se recordasse de tais detalhes. Bom saber que seu cérebro, sua mente, não tinha se alterado em nada. Apesar de tudo, em essência ele continuava a ser o que era antes. Foi a surpreendente presença de um gato que o obrigou a correr não em direção aos rodapés, mas às escadas. Subiu três degraus e olhou para trás. O gato, com malhas brancas e marrons, não o tinha visto, porém Jim considerou perigoso descer. Por isso iniciou a longa subida. No primeiro andar havia muita gente andando de um lado para outro, entrando e saindo dos aposentos. Mais possibilidades de morrer pisoteado. Uma hora depois, quando chegou ao segundo andar, os tapetes estavam sendo vigorosamente atacados por um aspirador de pó. Conhecia muitas almas que haviam se perdido daquela forma, sugadas para um além-mundo poeirento. Nenhuma alternativa senão continuar a subir até… Mas então, repentinamente, ali no sótão, todos os seus pensamentos foram obliterados pelo tilintar ríspido de um dos telefones na mesinha de cabeceira. Muito embora ele tivesse descoberto que era capaz ao menos de mover um dos membros, o braço, decidiu não se mexer. Não confiava em sua voz. E, mesmo que confiasse, o que iria dizer? Não sou quem você pensa que eu sou? Depois de quatro toques, o telefone ficou em silêncio.

Ele se recostou e deixou que seu trepidante coração se acalmasse. Testou mexer as pernas. Pelo menos elas saíram do lugar. Mas poucos centímetros. Tentou outra vez um braço, e o ergueu até ficar bem acima da cabeça. Então, de volta à história. Ele se esforçou para vencer o derradeiro degrau e chegou sem fôlego ao último andar. Enfiou-se por baixo da porta mais próxima e entrou num pequeno apartamento. Em condições normais, iria direto para a cozinha, mas em vez disso escalou um pé da cama e, totalmente exausto, se arrastou para baixo de um travesseiro. Deve ter caído em um sono profundo por... Mas, naquele momento, que merda, ouviu sons de batidas leves e, antes que pudesse reagir, a porta do quarto estava sendo aberta. Uma mulher ainda jovem, vestida com um terninho bege, se postou na soleira e fez um aceno rápido com a cabeça antes de entrar.

"Tentei telefonar, mas achei melhor subir. Primeiro-ministro, são quase sete e meia."

Ele não conseguia pensar no que dizer.

A mulher, sem dúvida uma espécie de assistente, entrou no quarto e pegou a garrafa vazia. O jeito dela era demasiado informal.

"Que noite, hem?"

Não seria possível permanecer em silêncio por mais tempo. Da cama, tentou emitir um som inarticulado, algo entre um gemido e um coaxar. Nada mau. Mais agudo do que desejaria, com um quê de chilreio, mas suficientemente plausível.

A assistente gesticulava em direção à mesa grande, para as pastas vermelhas. "Imagino que não tenha tido a oportunidade de..."

Ele se manteve na defensiva, emitindo o mesmo som outra vez, agora em tom mais baixo.

"Talvez, depois do café da manhã, o senhor poderia dar uma... Não custa lembrá-lo. Hoje é quarta-feira. Reunião ministerial às nove. Prioridades para o governo e PPM ao meio-dia."

Perguntas ao primeiro-ministro. Quantas daquelas sessões ele já tinha ouvido, fascinado e agachado atrás dos lambris apodrecidos na companhia de uns poucos milhares de distintos companheiros? Conhecia perfeitamente as perguntas que o líder da oposição formulava aos gritos, as brilhantes respostas falaciosas, as vaias festivas e as imitações de balidos. Seria a realização de um sonho desempenhar o papel de *primo uomo* na opereta semanal. Mas estaria ele devidamente preparado? Sem dúvida não menos que qualquer outra pessoa. Sobretudo depois de dar uma olhadela nos papéis. Como muitos de sua espécie, ele saberia se mover rápido, muito embora só contasse agora com duas pernas.

No lugar onde antes exibia uma bela mandíbula, o insalubre pedaço de tecido denso se agitou e produziu a primeira palavra humana.

"Correto."

"Vou providenciar o café lá embaixo."

Muitas vezes ele havia bebericado café altas horas da noite no piso do salão de chá. Isso costumava fazê-lo ficar acordado durante o dia, mas ele apreciava o sabor e o preferia com leite e quatro cubinhos de açúcar. Supunha que seu pessoal soubesse disso.

Tão logo a assistente saiu do quarto, ele se livrou das cobertas e por fim conseguiu girar as pernas tubulares para pisar no tapete. Pela primeira vez se pôs de pé, oscilando um pouco ao atingir aquela altura vertiginosa, e voltou a gemer, com as mãos pálidas e macias apertadas contra a testa. Minutos depois, caminhando trôpego para o banheiro, as mesmas mãos começaram a remover o pijama com agilidade. Libertou-se dele e se postou sobre os ladrilhos agradavelmente aquecidos. Divertiu-se ao urinar de forma ensurdecedora num recipiente de cerâmica preparado especialmente para aquilo, e então se sentiu mais animado. Mas, ao se virar para confrontar o espelho acima da pia, seu estado de espírito voltou a se turvar. Repugnou-o o disco oval de um rosto com a barba por fazer, mal equilibrado em cima de um caule grosso e rosado que servia de pescoço. Os olhos pequeninos o chocaram. Enojou-o a dobra de carne mais gorda e mais escura que emoldurava uma série de dentes que nem brancos eram. Mas, como estou aqui por uma causa gloriosa, a tudo suportarei, ele se tranquilizou, enquanto observava as mãos abrirem a torneira e se dirigirem ao pincel e à espuma de barbear.

Cinco minutos depois, sentiu náuseas ao parar, ainda cambaleando, diante da perspectiva de vestir as roupas deixadas a seu dispor. Os de sua espécie muito se orgulhavam de seus corpos bonitos e reluzentes, que jamais pensariam em cobrir. Roupa de baixo branca, meia preta, uma camisa branca com listras azuis, terno escuro, sapato preto. Desinteressado, observou a velocidade automática com que as mãos fizeram o laço nos cadarços e depois, voltando ao espelho, deram o nó na gravata. Ao pentear seu cabelo castanho-avermelhado reparou, com uma pontada de saudade, que ele era da mesma cor de sua boa e velha carapaça. Ao menos alguma coisa sobrevivera de sua aparência, pensou com melancolia quando por fim se deteve no alto da escada.

Ele se lançou numa estonteante descida, confiando em que suas pernas o levariam até embaixo com segurança, assim como as mãos o haviam barbeado e vestido. Apoiou-se com firmeza no corrimão, sufocando um gemido a cada degrau. Quando chegava aos patamares, onde havia voltas tortuosas, agarrava-se com as duas mãos. Poderia passar por um homem de ressaca. No entanto, o que levara uma hora para subir demorou apenas sete minutos para descer. Um grupo de homens e mulheres bem jovens o esperava ao pé da escada, cada qual com uma pasta na mão. Eles murmuraram respeitosamente: "Bom dia, primeiro-ministro", num coro de vozes baixas e desencontradas. Enquanto aguardavam por suas palavras, nenhum deles ousou olhá-lo diretamente.

Ele limpou a garganta e conseguiu dizer: "Vamos adiante, está bem?". Não sabia como prosseguir, mas por sorte um sujeito mais velho que os demais, usando um terno de aspecto tão caro quanto o seu, abriu caminho e, tomando Jim pelo cotovelo, conduziu-o pelo corredor.

"Uma palavrinha."

Uma porta se abriu e eles passaram por ela. "Seu café está aqui."

Eles estavam na sala de reuniões do ministério. No meio da longa mesa e perto da cadeira maior, havia uma bandeja da qual o primeiro-ministro se aproximou com tamanha avidez que se pôs a correr nos últimos metros: queria chegar antes de seu colega e ter um momento a sós com o açucareiro. Mas assim que se sentou na cadeira, com o mínimo de decoro, seu café já estava sendo servido. Não havia açúcar na bandeja. Nem mesmo leite. Porém, na sombra cinzenta lançada pelo pires, visível somente para ele, uma mosca-varejeira agonizava. Suas asas tremelicavam a cada segundo. Com algum esforço, Jim afastou os olhos dela enquanto ouvia. Estava começando a achar que iria espirrar.

"Sobre o Comitê de 1922. Os malditos suspeitos de sempre."

"Ah, sei."

"Na noite passada."

"Claro."

Ao se agitarem, as asas da mosca emitiam um tênue farfalhar de aquiescência.

"Fico feliz que você não estivesse lá."

Quando uma varejeira está morta há mais dez minutos, o gosto dela se torna inconcebivelmente amargo. Moribunda ou recém-morta, tem sabor de queijo. Em especial do Stilton.

"Sim?"

"É um motim. Está em todos os jornais da manhã."

Não havia o que fazer. O primeiro-ministro precisava espirrar. Sentiu que chegava. Provavelmente pela falta de sujeira. Agarrou a cadeira. Por um instante explosivo achou que havia desmaiado.

"Saúde. Falaram de um voto de não confiança."

Quando abriu os olhos desnecessariamente providos de pálpebras, a mosca tinha sumido. Soprada para longe.

"Merda!"

"Foi o que eu pensei."

"Onde ela está? Quer dizer, qual o sentido de…"

"O de sempre. Que você disfarça, mas não quer mudar. Não gosta do Projeto. Não topa seguir sozinho. Não consegue fazer passar nada no Parlamento. Não tem peito. Esse tipo de coisa."

Jim puxou a xícara e o pires mais para perto. Não. Ergueu o bule de aço inoxidável. Também não estava embaixo dele.

"Sou tão reversalista quanto qualquer um deles."

Por seu silêncio, o conselheiro especial, se era essa sua função, pareceu não concordar. Depois disse: "Precisamos de um plano. E rápido".

Só naquele instante ficou evidente o sotaque galês. País de Gales? País pequeno bem mais para o oeste, montanhoso, chuvoso, traiçoeiro. Jim se dava conta de que sabia muitas coisas, coisas diferentes. Sabia de um modo diferente. Sua compreensão, tal como a visão, havia se estreitado. Faltava-lhe a união oceânica, ampla e instantânea, com a totalidade de sua espécie, a potência ilimitada dos feromônios. Mas por fim se recordara por inteiro da missão de que havia sido incumbido.

"O que você sugere?"

Depois de uma única e forte batida, a porta se abriu e entrou um homem alto, com um queixo protuberante, cabelo muito escuro penteado para trás e um terno de tecido listado.

"Jim, Simon. Se importam se eu me juntar a vocês? Má notícia. Um telegrama criptografado acaba de…"

Simon o interrompeu. "Benedict, esta conversa é privada. Por favor, se mande."

Sem mudar a expressão que trazia estampada no rosto, o ministro do Exterior deu meia-volta e saiu da sala, fechando a porta com exagerado cuidado.

"O que me chateia nesses sujeitos que frequentaram escolas particulares", disse Simon, "é a sensação deles de que podem tudo. Exceto você, claro."

"É verdade. Qual é o plano?"

"Você mesmo disse. Se você dá um passo na direção dos radicais, eles gritam pedindo mais. Se você dá o que querem, eles te fodem. Se alguma coisa dá errado com o Projeto, eles culpam toda e qualquer pessoa. Sobretudo você."

"E…?"

"Houve uma flutuação na opinião pública. Os grupos focais estão contando uma história diferente. Nosso especialista em sondagem de opinião pública telefonou com os resultados ontem à noite. Há um cansaço geral. Um medo crescente do desconhecido. Preocupação com o voto, com a fera que eles soltaram."

"Eu ouvi falar desses resultados", o primeiro-ministro mentiu. Era importante manter a pose.

"O negócio é o seguinte. Temos que isolar esses radicais. Moção de confiança o cacete! Vamos prorrogar a sessão do Parlamento por alguns meses. Surpreender os filhos da puta. Ou até melhor: mudar de direção. Virar..."

"Mesmo?"

"Estou falando sério. Você precisa virar..."

"Na direção dos que não querem mudar?"

"Sim! O Parlamento vai cair aos seus pés. Você vai ter maioria — na lata."

"Mas a vontade do po..."

"Que se fodam. Uns babacas ingênuos. Isso aqui é uma democracia parlamentar e você está no comando. A Câmara está paralisada. O país desmoronando. Tivemos aquele deputado 'continuísta', que é como estão chamando essa gente, sendo degolado num supermercado por um ultrarreversalista. E um continuísta jogando milkshake em cima de um reversalista importante."

"Foi um choque", o primeiro-ministro concordou. "O blazer dele tinha acabado de voltar da tinturaria."

"A mais absoluta confusão. Jim, é hora de estancar a sangria." E acrescentou baixinho: "Está nas suas mãos".

O premier olhou fixamente para o rosto de seu conselheiro, tomando conhecimento dele pela primeira vez. Era estreito e comprido, fundo nas têmporas, com pequenos olhos castanhos e uma boquinha vermelha de lábios carnudos. Ele não fazia a barba havia alguns dias, usava tênis e um terno de seda preta sobre uma camiseta do Super-Homem.

"O que você está dizendo é muito interessante", disse por fim o premier.

"Minha função é mantê-lo no cargo, e essa é a única maneira."

"Seria um... um..." Jim lutou para achar a palavra. Conhecia diversas variantes em feromônio, mas elas estavam desvanecendo. Então encontrou: "Um giro de noventa graus!".

"Nem tanto. Reli alguns de seus discursos. Eles têm o suficiente para tirar você da forca. Dificuldades. Dúvidas. Adiamentos. O tipo de coisa que a turma radical odeia em você. A Shirley pode preparar o terreno."

"Realmente muito interessante", disse Jim, pondo-se de pé e esticando o corpo. "Tenho que falar com a Shirley antes da reunião ministerial. E vou precisar de alguns minutos sozinho."

Jim começou a caminhar em volta da mesa comprida em direção à porta. Sentia certo prazer em dar cada passo, uma sensação nova de controle. Por mais improvável que parecesse, era possível sentir-se estável sobre apenas dois pés. Já quase não o perturbava estar tão longe do chão. E estava satisfeito por não ter comido uma mosca na presença de outro homem. Talvez não pegasse bem.

Simon disse: "Então vou aguardar suas ideias".

Jim chegou à porta e deixou que os dedos de uma daquelas estranhas mãos pousassem de leve na maçaneta. Sim, ele era capaz de dirigir esta máquina nova e macia. Virou-se, deleitando-se em fazer isso muito devagar, até encarar o conselheiro, que não se levantara da cadeira.

"Você pode conhecê-las agora mesmo. Quero sua carta de demissão na minha mesa dentro de meia hora e você fora do prédio até as onze."

A secretária de imprensa, Shirley, mulher muito pequena e afável, vestida inteiramente de preto e com óculos enormes de aro negro, exibia uma desagradável semelhança com um desses besouros hostis cujas mandíbulas enormes lembram chifres de veado. Mas ela e o premier estavam se entendendo bem enquanto ela abria em leque diante dele manchetes inamistosas. "Já era, Jim", "Pelo amor de Deus, vá embora!" Seguindo a linguagem de Simon, chamar os reversalistas radicais no baixo clero do Parlamento de "os malditos suspeitos de sempre" contribuía para dar às notícias um tom inofensivo e cômico. Juntos, Jim e Shirley deram uma risadinha. Mas os jornais mais sérios concordavam que um voto de não confiança poderia ter êxito. O primeiro-ministro havia se indisposto tanto com os continuístas quanto com os reversalistas dentro de seu partido. Abusara da condição de apaziguador. Ao tentar acomodar as duas alas, tinha se queimado com quase todo mundo. "Na política", escreveu um conhecido colunista, "o bipartidarismo é o prenúncio da morte." Mesmo que a moção fracassasse, a opinião geral é de que o simples voto minaria sua autoridade.

"É o que vamos ver", disse Jim, e Shirley deu uma gargalhada, como se ele acabasse de contar uma piada brilhante.

Ele foi se sentar sozinho a fim de se preparar para a reunião, dando instruções a Shirley para que a carta de demissão de Simon fosse entregue à imprensa um pouco antes de ele pôr os pés na rua, assim poderia negar aos repórteres que havia algum problema. Shirley não manifestou surpresa com a dispensa do colega. Pelo contrário, assentiu alegremente com a cabeça enquanto recolhia os jornais da manhã.

Com exceção do próprio premier, não era de bom-tom se atrasar para uma reunião ministerial. Quando ele entrou na sala, todos estavam devidamente instalados em torno da mesa redonda. Ele ocupou seu lugar entre os ministros das Finanças e do Exterior. Estaria nervoso? Não exatamente. Estava tenso e pronto, como um velocista postado em sua marca de largada. Sua preocupação imediata era parecer plausível. Assim como seus dedos tinham sabido dar o nó na gravata, o premier sabia que suas primeiras palavras deviam ser precedidas de silêncio e de um contato visual sustentado com os presentes na sala.

Naqueles poucos segundos, ele avistou o olhar brando de Trevor Gott, chanceler do ducado de Lancaster, depois o dos ministros do Interior, do Comércio, dos Transportes e do ministro sem pasta. Num surpreendente instante de reconhecimento imediato, foi invadido por uma alegria rara, florescente e transcendental, que entrou pelo coração e desceu por sua espinha dorsal. Manteve uma aparência calma. Porém viu com clareza que quase todo o ministério compartilhava de suas convicções. Mais importante ainda — e não havia reparado nisto antes —, todos compartilhavam da origem dele. Quando chegara ao Palácio de Whitehall naquela noite perigosa, pensou estar engajado numa missão solitária. Não havia lhe ocorrido que sua pesada carga seria repartida, que outros como ele se dirigiam a diversos ministérios para ocupar outros corpos e travar a batalha. Umas duas dúzias, um pequeno enxame dos melhores da nação, tinham vindo se apossar de uma liderança vacilante e tomar as medidas que o momento exigia.

No entanto, havia um pequeno e irritante problema, uma ausência: o traidor a seu lado. Ele percebeu assim que o viu. No paraíso há sempre um demônio. Apenas um. Provavelmente, entre os seus havia um bravo mensageiro que não tinha completado a jornada iniciada no palácio, que fora sacrificado sob o solado de alguma bota, tal como ele quase havia sido na calçada do lado de fora dos portões. Quando Jim olhou nos olhos de Benedict St. John, o ministro do Exterior, esbarrou no muro inexpressivo e intransponível de uma retina humana, não podendo ir além. Impenetrável. Não havia nada lá. Apenas humano. Uma fraude. Um colaborador. Um inimigo do povo. Simplesmente do tipo que poderia se rebelar e votar para derrubar seu próprio governo. Teria de lidar com aquilo. A oportunidade se apresentaria. Não agora.

Mas lá estavam os demais, e ele os reconheceu instantaneamente através de suas formas humanas transparentes e superficiais. Um bando de irmãos e irmãs. O ministério metamorfoseado, agora radical. Sentados em volta da mesa, não davam a menor indicação do que de fato eram e do que todos sabiam. Quão estranhamente humanos eles pareciam! Contemplando os vários matizes de cinzento, verde, azul e castanho daqueles olhos de mamíferos, até o reluzente âmago blatodeano de seus seres, ele compreendeu e amou seus colegas e seus valores. Eram exatamente os dele. Unidos pela coragem férrea e pela vontade de ter êxito. Inspirados por uma ideia tão pura e excitante quanto o sangue e a terra. Impelidos rumo a um objetivo que se erguia para além da mera razão a fim de abarcar um sentido místico de nação, de uma compreensão tão simples e simplesmente tão boa e verdadeira quanto a fé religiosa.

O que também unia o corajoso grupo era a certeza da privação e das lágrimas que viriam, embora, para pesar de seus componentes, não seriam eles a sofrer. E também a certeza de que, depois da vitória, recairiam sobre a população as bênçãos de um profundo e enobrecedor respeito próprio. Aquela sala, naquele momento, não era lugar para fracos. O país estava prestes a se livrar de uma servidão repugnante. Os grilhões já não manietavam os melhores. Em breve, o íncubo dos continuístas seria arrancado com um forcado das costas da nação. Há sempre os que hesitam diante da porta aberta de uma jaula. Eles que se encolham no cativeiro que escolheram, escravos de uma ordem corrupta e desacreditada, tendo como único consolo seus gráficos e projeções, sua racionalidade árida, sua deplorável timidez. Ah, se soubessem que o evento grandioso já tinha escapado de seu controle, ultrapassado as análises e os debates, para entrar na história. Ele já se desenrolava ali naquela mesa. O destino coletivo estava sendo forjado no calor da paixão serena do ministério. O reversalismo implacável era dominante. Tarde demais para voltar atrás!

DOIS

As origens do reversalismo são obscuras e objeto de muito debate entre os que se interessam pelo assunto. Durante a maior parte de sua história, foi considerado um experimento mental, uma brincadeira, uma piada. Era domínio dos excêntricos, de homens solitários que escreviam compulsivamente cartas lunáticas para os jornais. Do tipo que pode encontrar você num pub e entediá-lo por uma hora. Mas a ideia, uma vez aceita, pareceu a alguns algo bonito e simples. Inverta-se o fluxo do dinheiro, e todo o sistema econômico, e até mesmo a nação, será purificado, expurgado dos absurdos, desperdícios e injustiças. Ao fim de uma semana de trabalho, uma funcionária entrega dinheiro à empresa por todas as horas que labutou. Mas quando ela vai às lojas é generosamente compensada pelos preços de varejo de todos os artigos que leva. Está proibida por lei de economizar dinheiro vivo. O dinheiro que ela deposita no banco depois de um dia estafante no shopping rende altos juros negativos. Antes que sua poupança seja reduzida a pó, ela, consequentemente, fará bem em conseguir um emprego mais caro. Quanto melhor, e portanto mais caro, o emprego que ela conseguir, mais arduamente terá que fazer compras a fim de pagar por ele. A economia é estimulada, há mais trabalhadores qualificados, todo mundo ganha. O senhorio precisa comprar bens manufaturados de forma incansável a fim de pagar por seus inquilinos. O governo adquire usinas nucleares e expande seu programa espacial com vistas a enviar presentes fiscais aos trabalhadores. Os gerentes de hotéis fornecem as melhores marcas de champanhe, os lençóis mais macios, as orquídeas mais raras e o melhor trompetista da cidade para que seu estabelecimento possa hospedar os clientes. No dia seguinte a um show exitoso na pista de dança, o trompetista terá de fazer muitas compras de modo a pagar por sua próxima apresentação. O resultado é o pleno emprego.

Dois importantes economistas do século XVII, Joseph Mun e Josiah Child, fizeram referências en passant à circulação inversa do dinheiro, mas descartaram a ideia sem lhe dar maior atenção. Ao menos sabemos que a teoria circulava. Nada há sobre o assunto na obra pioneira de Adam Smith, *A riqueza das nações*, nem em Malthus ou Marx. No final do século XIX, o economista norte-americano Francis Amasa Walker manifestou certo interesse em inverter o fluxo do dinheiro, mas aparentemente o fez em conversas e não em seus numerosos escritos. Durante a fundamental Conferência de Bretton Woods, em 1944, que formatou a ordem econômica do pós-guerra e criou o Fundo Monetário Internacional, num dos subcomitês ocorreu uma defesa apaixonada (e devidamente registrada nas atas) do reversalismo pelo delegado paraguaio Jesus X. Velasquez. Ninguém o apoiou, mas ele costuma ser reconhecido como o primeiro a usar o termo em público.

De vez em quando a ideia se revelava atrativa na Europa Ocidental para grupos da direita ou extrema direita, porque parecia limitar o poder e o alcance do Estado. Na Grã-Bretanha, por exemplo, enquanto a alíquota máxima do imposto de renda ainda era de oitenta e três por cento, o governo teria de entregar bilhões de libras aos consumidores mais dedicados. Correm rumores de que Keith Joseph tentou interessar Margaret Thatcher na "economia do fluxo inverso", mas ela não teve tempo para isso. Numa entrevista dada à BBC em abril de 1980, Sir Keith insistiu em que o rumor era totalmente falso. Ao longo da década de 1990 e na seguinte, o reversalismo manteve um perfil modesto nos vários grupos de discussão privados e nos *think tanks* de direita menos conhecidos.

Quando o Partido Reversalista espetacularmente entrou em cena com sua mensagem populista e antielitista, muitos, mesmo entre seus adversários, já conheciam a tese do "contrafluxo". Depois que os reversalistas ganharam a aprovação de Archie Tupper, o presidente dos Estados Unidos, e mais ainda quando começaram a atrair eleitores de outras agremiações, o Partido Conservador iniciou, em reação, um lento deslizar para a direita e para ainda mais além. Mas, de acordo com a maioria dos conservadores, o reversalismo continuava a ser, nas palavras de George Osborne, ex-ministro das Finanças, "a ideia mais maluca do mundo". Ninguém sabe qual economista ou jornalista cunhou o termo "continuísta" para designar aqueles que preferiam que o dinheiro circulasse da velha e bem testada maneira. Muitos reivindicaram tal primazia.

Na esquerda, em especial na "velha esquerda", sempre houve um punhado de gente que mantinha uma postura branda com relação ao reversalismo. Uma razão era acreditarem que ele iria empoderar os desempregados. Sem empregos a serem pagos e com bastante tempo para fazer compras, os desempregados poderiam se tornar muito ricos em bens, se não em dinheiro poupado. Enquanto isso, os ricos nada poderiam fazer com sua riqueza além de gastá-la em empregos caros. Quando os eleitores do Partido Trabalhista, muitos dos quais membros da classe operária, entenderam quanto poderiam ganhar pondo um filho no Eton College ou uma filha no Ladies' College de Cheltenham, eles também começaram a elevar o nível de suas aspirações e se bandear para a nova causa.

A fim de reforçar seu apoio eleitoral e aplacar a ala reversalista do partido, os conservadores prometeram em seu manifesto eleitoral de 2015 um referendo sobre o fluxo inverso de dinheiro. O resultado foi inesperado, sobretudo devido a uma aliança não reconhecida entre trabalhadores pobres e idosos de todas as classes. Os primeiros em nada se beneficiavam com o status quo e nada tinham a perder, sonhando em levar para casa bens essenciais e artigos de luxo, além de terem muito dinheiro vivo nas mãos, ainda que por pouco tempo. Os idosos, com uma capacidade cognitiva reduzida, viram-se nostalgicamente atraídos pelo que entenderam ser uma proposta de reverter o ponteiro dos relógios. Os dois grupos, pobres e velhos, foram movidos por graus variáveis de entusiasmo nacionalista. Num golpe brilhante, a imprensa reversalista conseguiu apresentar a causa deles como um dever patriótico, uma promessa de renascimento e purificação nacionais: tudo o que estava errado no país, inclusive desigualdades de renda e de oportunidade, a divisão norte-sul e os salários estagnados, era causado pela direção do fluxo financeiro. Se você amasse seu país e seu povo, devia derrubar a ordem constituída. O velho fluxo só servira aos interesses de uma elite governante desdenhosa. "Vire o dinheiro pelo avesso" se transformou num dos muitos irresistíveis slogans.

O primeiro-ministro que convocara o referendo pediu demissão imediatamente e desapareceu para todo o sempre do mapa. Em seu lugar surgiu um candidato de conciliação, o apático continuísta James Sams. Logo depois de sua visita ao Palácio de Buckingham ele prometeu, nos degraus da casa da Downing Street, honrar o desejo do povo. O dinheiro teria seu fluxo invertido. Porém, como muitos economistas e outros observadores haviam previsto na imprensa de baixa circulação e em revistas especializadas pouco lidas, a coisa não era tão fácil. O primeiro e angustiante problema tinha a ver com o comércio exterior. Os alemães com certeza ficariam felizes em receber nossos bens juntamente com substanciais pagamentos. Mas sem dúvida não iriam agir de forma recíproca nos enviando seus carros cheios de dinheiro vivo. Como tínhamos um déficit comercial, em breve estaríamos quebrados.

Sendo assim, como poderia uma economia reversalista florescer num mundo continuísta? As negociações com nossos mais importantes parceiros comerciais, os europeus, terminaram num impasse. Três anos se passaram. Um Parlamento em sua maioria continuísta, dividido entre o bom senso e a necessidade de se curvar à vontade popular, era incapaz de oferecer soluções práticas. Sams herdara uma tênue maioria e se esfolava entre as inflamadas facções de seu partido. Apesar disso, era chamado por alguns jornais de Jim, o Sortudo, pois poderia ser muito pior: Horace Crabbe, o líder da oposição, era ele próprio um idoso reversalista da esquerda pós-leninista.

Enquanto Sams titubeava e seu ministério permanecia

dividido em várias linhas de divergência, uma facção purista do baixo clero parlamentar do Partido Conservador endurecia sua posição. A Grã-Bretanha devia marchar sozinha e convencer o resto do mundo com seu exemplo. Se o mundo não a seguisse, pior para ele. Era o Renusp — Reversalismo Num Só País. As seis letrinhas se multiplicaram em pichações e em letras de músicas. Tínhamos ficado sozinhos antes, em 1940, depois da queda da França, quando o terror nazista engolfava a Europa. Por que agora se preocupar com automóveis alemães? Mas Sams aguardou, prometendo tudo a todos os lados. Muitos economistas, jornalistas que cobriam a Bolsa, líderes de negócios e todo o setor financeiro previram uma catástrofe econômica caso Sams concordasse com a radicalidade dos reversalistas. Bancos, câmaras de compensação, agentes de seguros e corporações internacionais já se transferiam para o exterior. Cientistas eminentes e vencedores do prêmio Nobel mostraram seu desespero em cartas a jornais que foram muito divulgadas. Mas nas ruas o grito popular era vigoroso e sincero: vamos logo! Havia um clima de raiva crescente, uma suspeita razoável de terem sido traídos. Um cartum de certo periódico retratou Jim Sams como o Gloucester de Shakespeare, cego na beira do precipício, enquanto Edgar, um reversalista durão que representava o espírito nacional, o encorajava a pular.

Então, sem aviso prévio e causando um espanto generalizado, Sams e seu vacilante ministério pareceram encontrar coragem. Estavam prestes a pular.

Tendo olhado no fundo de todos os pares de olhos em volta da mesa, e tão logo se sentiu confiante de que não entoaria uma alegre canção estimulada pelos feromônios, o primeiro-ministro pronunciou algumas palavras solenes de boas-vindas. Sua voz era grave e sem variações de tom. Um músculo acima da maçã do rosto se contraía repetidamente. Ninguém tinha visto isso antes. Durante seus comentários de introdução, fez uma única e passageira referência à identidade comum dos presentes, ao dizer que aquele era um "novo" ministério que, a partir de agora, votaria de forma unificada no Parlamento. Não mais se toleraria indisciplina. Cega obediência coletiva. Seguiu-se um farfalhar prolongado e um zumbido de assentimento em torno da mesa. Tinham uma opinião comum, formavam uma colônia dedicada a um só propósito.

Então, ao trabalho. Na saída, eles encontrariam cópias de uma recente pesquisa sobre a posição dos eleitores que deveriam levar consigo e ler com todo o cuidado, atentando para um resultado em particular: dois terços dos entrevistados entre vinte e cinco e trinta e quatro anos ansiavam por um líder forte que "não tivesse que se incomodar com o Parlamento".

"Por enquanto temos", disse Jim. "Mas..." Ele deixou a frase no ar, e a sala permaneceu em silêncio. Continuou: "O projeto postergado da Lei do Reversalismo volta para a Câmara em três meses. Todas as emendas da oposição serão derrotadas. As medidas de adaptação têm início agora. Como o ministro das Finanças confirmará, vamos gastar oito bilhões com os ajustes de transição".

O ministro das Finanças, um sujeitinho glacial com sobrancelhas cinza-claras e uma barbicha branca, sufocou sua surpresa e sabiamente concordou com um aceno de cabeça.

O primeiro-ministro retribuiu o gesto e esboçou um sorrisinho sem abrir a boca. Alta recompensa. "Fiquem sabendo que marquei o dia do reversalismo, o Dia R, para vinte e cinco de dezembro, quando as lojas estão fechadas. Depois disso, as vendas de Natal darão um tremendo impulso ao produto nacional."

Olhou ao redor. Todos o fitavam com atenção. Nenhum deles rabiscava nos blocos de notas disponíveis. Jim levantou os braços e cruzou as mãos atrás da cabeça, uma sensação peculiarmente agradável.

"Executaremos a flexibilização quantitativa, imprimindo dinheiro para que as lojas de departamentos possam pagar a seus clientes e os clientes possam arcar com seus empregos."

O ministro do Exterior disse de repente: "Está surgindo um problema...".

O premier o silenciou sacudindo ligeiramente a cabeça. Deixou que os braços tombassem ao lado do corpo. "Nossa prioridade absoluta é realizar o Dia R, ou Nosso Dia, como poderemos chamá-lo. Mas nossa segunda prioridade é quase tão importante. Sem ela, a primeira pode fracassar."

Fez uma pausa para aumentar o efeito de suas palavras. Naquele breve intervalo, teve tempo de refletir sobre o que fazer com Benedict St. John. O estranho no ninho. Um assassinato perfeito não era fácil de providenciar em Downing Street. Um havia sido planejado fazia muito tempo na Câmara dos Comuns por aquele idiota arrogante de cartola, Jeremy Thorpe. O resultado dele servia de alerta.

"Haverá solavancos na estrada à nossa frente, e temos que levar o povo conosco. Os grupos focais estão impacientes logo agora que necessitamos ser extremamente populares. É de vital importância. Por isso vamos aumentar os impostos para os cidadãos com salários baixos e diminuir os impostos incidentes sobre os ricos. Grandes transferências de dinheiro para os trabalhadores depois do dia 25. A fim de pagar por isso, como estou certo de que nosso sábio ministro das Finanças concordará, vamos aumentar as receitas do governo empregando mais vinte mil policiais, cinquenta mil enfermeiros, quinze mil médicos e duzentos mil lixeiros para garantir a coleta diária. Com os descontos de impostos a que farão jus, esses novos contratados devem poder pagar por seus empregos com facilidade. E os chineses nos devem oitocentos bilhões pelas três usinas nucleares que vão construir."

O silêncio expectante na sala pareceu se alterar, perder em qualidade. Ninguém confiava no governo chinês. Será que eles pagariam? Inverteriam sua imensa economia? Alguém tossiu polidamente. Outros examinaram as unhas. Se ainda não tinha perdido de todo o apoio do ministério, Jim se deu conta de que corria o risco de ganhar seu ceticismo. Foi salvo pela ministra dos Transportes, uma deputada que representava certo distrito do nordeste, pessoa afável que fumava cachimbo, mas considerada obsessivamente ambiciosa.

"Pouparíamos muito dinheiro se avançássemos com o trem de alta velocidade para Birmingham."

"Brilhante. Obrigado, Jane."

Encorajado, o ministro da Defesa, Humphrey Batton, sujeito musculoso de queixo quadrado, disse: "E se construíssemos mais quatro porta-aviões".

"Excelente, Humph."

"Dez mil novos presídios trariam dois bilhões e meio."

"Muito bem, Frank."

De repente, estavam todos envolvidos, ansiosos para agradar, se atropelando ao falar de seus projetos tornados possíveis pela nova permissão.

O premier recostou-se na cadeira, abrindo um largo sorriso, deixando que as vozes o envolvessem, vez por outra murmurando: "Ótimo... essa é a ideia... perfeito!".

Inevitavelmente, depois de algum tempo a sala foi tomada por um sentimento de exaustão, permitindo que o ministro do Exterior falasse.

"E nós, como ficamos?"

Todas as cabeças se voltaram respeitosamente na direção de Benedict St. John. Nesse momento, Jim entendeu que só ele conhecia a condição peculiar daquele indivíduo.

"O quê?"

O ministro do Exterior abriu as mãos para indicar uma questão óbvia. "Tomemos meu próprio caso. Mas poderia ser o de vocês. No ano que vem é de esperar que eu visite todas as capitais do mundo promovendo a Grã-Bretanha Global, persuadindo os governos a nos acompanhar. E tenho um salário de 141 405 libras por ano."

"E...?"

"Com todas as responsabilidades que tenho com a minha numerosa família, é simplesmente demais para me sustentar. Como vou encontrar tempo para fazer todas as compras que me permitam pagar por esse emprego?"

Mais uma vez se ouviu aquele discreto farfalhar sob a mesa. Jim correu os olhos pela sala. Será que Benedict estava sendo cínico? Talvez houvesse falado por todos eles.

O primeiro-ministro o olhou com total desprezo. "Que diabos, como eu deveria... você simplesmente, bem..."

Foi a ministra dos Transportes, Jane Fish, quem de novo o ajudou a escapar.

"Entre na Amazon, Bennie. Um clique. Compre um Tesla!"

A elegante solução foi recebida com um suspiro de alívio. O premier estava pronto a seguir adiante, mas St. John não havia terminado.

"Estou preocupado. No seu Dia R a libra é capaz de afundar."

*No seu?* Isso era intolerável, mas o premier conseguiu exibir um olhar bondoso. "Vai ajudar nossas importações."

"Exatamente o meu ponto. As exportações. Vamos ter que mandar ainda mais dinheiro para fora."

Jim explicou como se falasse com uma criança: "Compensado pelo dinheiro que ganhamos com as importações".

"Faz três anos e só temos o apoio de St. Kitts e Nevis. Jim, isso pode ser desastroso."

Todos os ministros acompanhavam com atenção aquele desafio direto. A repentina e gostosa risada do primeiro-ministro foi genuína, porque ele tinha visto mais além, não apenas a morte inexplicável do ministro do Exterior, mas seu enterro. Um evento de bom porte em que o próprio Jim faria a oração fúnebre. Catedral de St. Paul. A "Nimrod" de Elgar. A Guarda Montada. O que o fez se lembrar de que ainda não tinha tomado café da manhã.

"Bom, Benedict, como disse Karl Marx, há muita ruína numa nação."

"Foi Adam Smith."

"Então ainda mais verdadeiro."

Os ministros relaxaram. Estavam dispostos a tomar aquilo como um argumento definitivo, uma observação acachapante. Jim respirou fundo para anunciar o item seguinte.

Mas o ministro do Exterior disse: "Tratemos agora de um assunto importante".

"Pelo amor de Deus", resmungou Frank Corde, o ministro do Interior.

Benedict estava sentado em frente ao ministro da Defesa. Quando os dois trocaram um olhar, Batton deu de ombros e baixou os olhos para suas mãos. Conte você.

"É uma situação que acabou de acontecer. Nenhuma declaração oficial ainda. Mas ouvi dizer que o *Daily Mail* está prestes a divulgar na sua página da internet. Por isso vocês precisam saber. Normalmente eu não..."

"Fale logo", disse Jim.

"Hoje, um pouco depois das sete da manhã, uma fragata francesa se chocou com o *Larkin*, um dos nossos barcos de pesca ao largo da costa da Bretanha, perto de Roscoff. Cortou-o em dois. Tripulação de seis. Todos tirados da água."

"Fico feliz em saber. Então tratemos de..."

"Todos afogados."

O primeiro-ministro e seus colegas tinham crescido tendo a morte como um fato cotidiano em que a costumeira festança póstuma era uma necessidade higiênica, além de ser uma forma bastante decente... Cortou com violência aquela linha de pensamento. Era suficientemente esperto para permitir um curto silêncio antes de dizer: "Trágico. Mas essas coisas acontecem no mar. Por que estamos tratando disso?".

"O barco estava pescando ilegalmente. Em águas costeiras da França."

"E...?"

O ministro do Exterior pousou o queixo nas mãos. "Estávamos mantendo isso em sigilo enquanto os parentes eram informados. Mas apareceu no Twitter. A história que está circulando agora é que os franceses abalroaram nosso barco de propósito. Defendendo seus direitos territoriais."

O chanceler do ducado de Lancaster perguntou: "O que dizem os franceses?".

"Nevoeiro denso, barco pequeno de madeira, dois quilômetros de distância da costa, o transponder fora de serviço por alguma razão. Não apareceu no radar da fragata. Nossas próprias informações navais e de outras fontes confirmam tudo o que eles estão dizendo."

"Então está tudo esclarecido", disse o procurador-geral.

O ministro do Exterior olhou para seu relógio. "O *Mail* vai publicar um artigo belicoso esta manhã na sua página da internet. Escândalo patriótico. Em breve a história estará em todas as plataformas. A coisa está ficando feia. Há cinquenta minutos, quando estávamos nos sentando aqui, alguém jogou um tijolo em uma janela da embaixada da França."

Ele fez uma pausa e olhou para o primeiro-ministro. "Precisamos de uma declaração do mais alto nível. Esfriar essa bobagem."

Todos olharam para Jim, que inclinou a cadeira para trás e disse, olhando para o teto: "Hum".

Em tom insinuante, Benedict acrescentou: "E um telefonema para o presidente francês, deixando a conversa se tornar pública...".

"Hum."

Eles observavam e esperavam.

Por fim, ele endireitou a cadeira e fez um aceno ao funcionário que secretariava as reuniões ministeriais e comumente se sentava à parte. "Se eles estão sendo enterrados juntos, quero comparecer ao funeral."

O ministro do Exterior começou a dizer: "Isso pode parecer um pouco...".

"Espere. Melhor ainda. Se os caixões estão vindo juntos, e cuide bem de se certificar de que estarão, quero estar lá na beira do cais, na pista de pouso, onde for."

Enquanto os demais permaneceram imóveis, não tanto por estarem indignados, mas sim fascinados, o ministro do Exterior estremeceu. Parecia prestes a se levantar, depois voltou a se sentar. "Jim. Você não pode fazer isso."

O primeiro-ministro mostrou-se repentinamente alegre. Adotou um tom de voz jovial, brincalhão, com modulações de timbre: "Quando encerrarmos esta reunião, Benedict, você irá até o seu esplêndido gabinete para fazer duas coisas. Vai convocar o embaixador da França e exigir uma explicação. E vai dizer ao seu assessor de imprensa o que está fazendo".

O ministro do Exterior respirou fundo. "Não podemos entrar nesse tipo de jogo. Trata-se de um aliado muito próximo."

"Seis dos nossos bravos cidadãos morreram. Até que se prove o contrário, estou deduzindo que foi um ataque desprezível."

Finalmente, o secretário da Defesa encontrou coragem. Sua voz parecia embargada. "Na verdade, as informações do almirantado são bem sólidas."

"Almirantes! Contando o tempo para se aposentar, todos eles. Sem dúvida preocupados com suas fazendolas na Dordogne."

Essa foi boa. Um canto da França tão fora de moda ocupado por ingleses. Ouviram-se risadinhas em volta da mesa. A tensão no queixo de St. John sugeria que ele não tinha nada mais a dizer. Mas o primeiro-ministro continuou encarando-o por quase trinta segundos. O efeito sobre os demais foi intimidador, em especial sobre Humphrey Batton, popular no país por ter sido capitão do segundo batalhão do regimento de paraquedistas. Ele descobriu algo interessante no copo de água à sua frente, ao segurá-lo com força com as mãos.

"Vamos trazer os americanos para o nosso lado", disse Jim. "Eles têm ressalvas dos franceses. Comentários? Ótimo. Prosseguindo." Ele tirou do bolso um pedaço de papel recortado da revista *Spectator*. Nele havia uma lista a lápis. "Para marcar o Dia R, vamos lançar uma moeda comemorativa de dez libras. Minha ideia é que tenha a imagem de um relógio."

"Brilhante... grande ideia", foi a reação coletiva. O ministro das Finanças engoliu em seco e concordou com a cabeça. Alguém disse: "No verso, imagino".

O primeiro-ministro olhou raivosamente ao redor, procurando o culpado. A piada perdeu a graça. "Mais algum comentário?"

Nenhum.

"Próximo item. Vamos instituir um feriado nacional do Dia R. A época de Natal obviamente não serve, por isso estou pensando na mais próxima ao Ano-Novo, 2 de janeiro. Alguma objeção?"

"Não", eles murmuraram.

"Ótimo. Por acaso é o dia do meu aniversário."

Todos, com exceção do ministro do Exterior, aplaudiram dando tapinhas na mesa.

Modestamente, o primeiro-ministro ergueu a mão num gesto de contenção, e a sala ficou em silêncio. Em sua breve existência anterior ele nunca se sentira tão contente. Teve a impressão de que haviam transcorrido cinco anos, e não três ou quatro horas, desde que acordara, triste e confuso, incapaz de controlar seus membros ou mesmo a língua. Viu isso no rosto de seus colegas — ele estava no comando, era uma força aqui, em todo o país e para além de suas fronteiras. Difícil acreditar. Excitante. Surpreendente. Nada poderia se interpor em seu caminho.

Ele passou os olhos pela lista. "Ah, sim. Pensei o seguinte. O movimento reversalista precisa ter uma canção, algo positivo. Uma espécie de hino. Alguma coisa mais moderna que a 'Ode à alegria'. E me ocorreu aquela velha música queridinha da década de 1960, 'Walking Back to Hapiness'. Vocês devem conhecer. Não? Meu Deus, cantada pela Helen Shapiro!"

Eles não conheciam nem a música nem a cantora. Mas não ousaram balançar a cabeça. Seja lá o que os unia secretamente, estavam agora imersos, desligados de seus respectivos papéis. O custo da ignorância deles foi alto, porque o primeiro-ministro começou a cantar em tom barítono vacilante, com os braços bem abertos e o riso forçado de um cantor romântico profissional.

"*Walking back to hapiness, whopah oh yeah yeah.*"

Não ousaram trocar olhares. Sentiam que qualquer risadinha mal posta poderia encerrar uma carreira. Também não ousaram, quando o premier fez um sinal com os dedos para que o acompanhassem, se omitir do coro. Cantaram em solene uníssono: "*Yay yay yay yay ba dum be do*", como se entoassem um hino tradicional composto para a cerimônia de coroação.

Mesmo cantando a plenos pulmões, Jim reparou que o ministro do Exterior estava calado. Nem mexia os lábios para fingir que cantava. Olhava direto para a frente, imóvel, talvez envergonhado. Ou era desdém?

Quando a cantoria chegou a um dissonante fim, St. John se ergueu e disse para ninguém em particular: "Bom, eu tenho o que fazer, como sabem". Sem dirigir o olhar ao primeiro-ministro, deixou a sala.

Ao se voltar para observá-lo ir embora, Jim ficou pasmo com o fato de ser possível sentir tamanha alegria e tamanho ódio ao mesmo tempo. Um coração humano, de que ele agora tinha plena posse, era uma coisa maravilhosa.

Depois de encerrar a reunião, Jim ficou alguns minutos a sós, trabalhando na declaração sobre as prioridades. Selecionou algumas citações e entregou-as a Shirley, para que ela as transformasse num comunicado à imprensa. Ela trabalhou bem e rápido. Quando o carro de Jim estava do lado de fora e a porta da frente sendo aberta para ele, a imprensa já estava informada de que algo novo e ousado vinha ocorrendo no governo. Como era bom sair à luz do dia e olhar lá de cima o umbral da porta por onde rastejara na noite anterior! Também era bom ouvir a algaravia de perguntas frenéticas que lhe eram gritadas do outro lado da rua. Ele parou diante da porta, que fora fechada às suas costas, a fim de conceder meio minuto aos fotógrafos, mas nada falou. Em vez disso, levantou uma das mãos num gesto amigável e deu um meio sorriso resoluto para as câmeras. Como agora se encontrava em pleno comando de seus olhos binoculares, sem aparência de mosaico, com visão bem focada e colorida, deixou-os passear pelos rostos dos jornalistas e pelas lentes dos fotógrafos. Quando o Jaguar xj Sentinel (um veículo blindado que muito lhe agradava) encostou e a porta se abriu, ele levantou as mãos em triunfo, rindo abertamente, e curvou a cabeça para se acomodar no banco traseiro.

No curto trajeto pela Whitehall Street rumo ao Palácio de Westminster, teve tempo de saborear o momento que o esperava, quando se postaria diante da tradicional caixa de despachos para anunciar as intenções do governo. O que o animava era o pensamento da audiência oculta e silenciosa que estaria acocorada atrás dos lambris. Mesmo agora todos estariam se reunindo no escuro. Que orgulho sua família teria dele!

Do *Hansard*, 19 de setembro, v. 663, Prioridades do Governo

PRIMEIRO-MINISTRO (JAMES SAMS)

Com sua permissão, sr. presidente, farei uma declaração acerca da missão do que é, de fato, um novo governo conservador. Quando a lei voltar a esta Casa, sr. presidente, nossa missão consistirá em tornar realidade o reversalismo, com o propósito de unir e dar nova energia a nosso grande país, não apenas o fazendo grande mais uma vez, mas o tornando o melhor lugar do mundo. Por volta de 2050 é mais do que possível, e menos que improvável, que o Reino Unido seja a maior e a mais próspera economia da Europa. Estaremos no centro de uma nova rede de transações comerciais contrafluxo. Seremos os melhores do planeta em todas as áreas. Daqui sairá o avião elétrico que servirá a toda a humanidade. Lideraremos o mundo na tarefa de não destruir nosso precioso planeta. Este mundo seguirá nosso resplandecente exemplo, e todas as nações inverterão o fluxo do dinheiro a fim de não serem deixadas para trás... [*Interrupção*.]

SR. PRESIDENTE

Silêncio! Há barulho demais nesta sala. Muitos membros parecem pensar que é correto gritar suas opiniões para o primeiro-ministro. Sejamos claros: isso não é correto.

PRIMEIRO-MINISTRO

Sr. presidente, aplaudo sua intervenção. Este governo não está mais dividido. Eu e todos os ministros somos um só organismo e falamos com uma só voz. Somos formidáveis em nossa unidade. Por isso a lei será aprovada. Nada obstruirá nosso caminho. Estamos dando instruções a todos os ministérios para que se preparem com urgência para a transição. Vamos agir com absoluta rapidez a fim de estender nossas transações comerciais para além da corajosa St. Kitts e Nevis. Até que o façamos, proclamaremos o reversalismo num só país. Estaremos sós, como estivemos no passado. A grande dose de negatividade a respeito do reversalismo foi totalmente exagerada. Não é momento de acalentar os débeis pensamentos continuístas. Que ninguém duvide, o fluxo do dinheiro está prestes a mudar de direção — e isso chega tarde! No primeiro dia, no Dia R, os efeitos benéficos serão percebidos tanto no sentido micro como no macroeconômico. No Dia R, por exemplo, nossa força policial recém-empoderada pode parar um motorista imprudente e lhe dar pela janela do carro duas notas de cinquenta libras. Será responsabilidade desse motorista, diante do risco de um processo criminal, usar tal dinheiro para trabalhar e pagar por suas horas extras, ou encontrar um emprego ligeiramente melhor. Esse é apenas um exemplo, sr. presidente, de como o reversalismo estimulará a economia, incentivará nossos brilhantes cidadãos e tornará nossa democracia mais robusta.

O reversalismo abençoará nosso futuro — limpo, verde, próspero, unido, confiante e ambicioso. Quando juntos exercitarmos nossas forças para tal tarefa, a mão morta da economia continuísta e sua vasta burocracia de regras que bloqueiam o livre empreendimento, de obstáculos levantados em nome da saúde e da segurança, serão retiradas de cima de nossos ombros, de todos nós, de cada um de nós. Muito em breve serão retiradas dos ombros de todas as nações. Estamos no limiar de uma era de ouro. Sr. presidente, eu recomendo esse futuro a esta Casa tanto quanto recomendo que aceitem esta declaração.

*Diversos membros honoríficos se puseram de pé...*

SR. PRESIDENTE
   Silêncio!


   [*Continua.*]

TRÊS

O rapaz que atirou o tijolo na embaixada da França naquela manhã correu e não foi preso. Isso foi acompanhado em Paris. Quando o incidente ocorreu, estima-se que havia cerca de cinquenta manifestantes na Knightsbridge Street. No final da tarde, eram mais de quinhentos, alguns deles pescadores que viajaram de Hull em ônibus fornecidos pelo Partido Reversalista. Houve cantos e gritos, mas, exceto por isso, foi uma manifestação pacífica. Os cinco policiais extras convocados tiveram pouco mais a fazer do que se postar junto às portas principais da embaixada e observar. No entanto, logo depois das quatro e meia alguém lançou um "artefato incendiário", que foi cair inofensivamente na grama úmida perto de um loureiro e debaixo de uma janela sem pegar fogo. Era uma garrafa de leite contendo dois centímetros e meio de fluido para isqueiro. Ele foi apresentado como um coquetel molotov, o que seria tecnicamente correto. Esse ataque também foi acompanhado em Paris.

Mais cedo naquela tarde, o embaixador francês, o conde Henri de Clermont L'Hérault, foi chamado ao Ministério do Exterior e da Commonwealth a fim de explicar a morte dos seis pescadores ingleses. O encontro foi descrito oficialmente como "construtivo", tendo o embaixador expressado suas sinceras e sentidas condolências às famílias e suas mais profundas desculpas pelo trágico acidente. Pouco depois, isso foi divulgado pela imprensa, porque o primeiro-ministro apareceu em público na Downing Street às cinco horas e fez um pronunciamento incisivo que não era de seu estilo. A suposta bomba, embora deplorável, tinha sido examinada e era o equivalente a um fogo de artifício molhado, provavelmente nada mais que uma piada de péssimo gosto. Sams então leu o nome dos mortos, que descreveu como "heróis nacionais". Também manifestou suas mais profundas condolências às famílias enlutadas e disse que estava "perturbado" com aquele incidente trágico e "não totalmente satisfeito" com as explicações prestadas pelo embaixador mais cedo. O premier consultara os peritos. A tecnologia moderna, em especial numa embarcação atualizada da Marinha, era tal que tornava difícil compreender como um barco de pesca de quase dez metros de comprimento não houvesse sido detectado no nevoeiro, por mais denso que ele fosse. A seu ver, o capitão do barco pesqueiro não sabia que estava em águas territoriais francesas e que pescava ali ilegalmente. Sams admitia que as normas internacionais sobre os direitos territoriais deviam ser respeitadas. Porém — e aqui fez uma pausa —, quando ocorrem violações, "a reação precisa ser bem refletida e dosada". Por tal motivo, ele estava "buscando maiores esclarecimentos com nossos excelentes amigos franceses". Recusando-se a responder a quaisquer perguntas, deu uma abrupta meia-volta e entrou no Número Dez.

Num instante, a tragédia deu origem a uma crise diplomática. O presidente Larousse, já perplexo e irritado com *l'inversion britannique* e a ameaça de perturbação que isso representava para as exportações francesas de vinhos e queijos destinadas ao Reino Unido, ficou, segundo seu porta-voz, "desapontado" ao ver que os ingleses "duvidavam da palavra de um excelente amigo". A insinuação de Sams de que o governo da França tinha como política "matar pescadores inocentes que por acaso entrassem em suas águas territoriais era um insulto a tudo o que a França prezava". Claramente, Monsieur Sams, em dificuldades devido a uma decisão que dividia seu país, se servia de uma "onda nacionalista de raiva artificialmente criada por uma tempestade irracional no Twitter". Com relutância, o presidente decidira chamar de volta seu embaixador. O conde Henri de Clermont L'Hérault voltaria a Paris para consultas.

De forma bastante razoável, Jim também decidiu chamar o embaixador britânico em Paris. As coisas estavam se desenhando bem. Num momento difícil como aquele, o país necessitava de um inimigo de fé. Os jornalistas patrióticos elogiaram o primeiro-ministro por confrontar os franceses e defender "nossos rapazes mortos". A declaração de prioridades feita perante os deputados havia sido igualmente bem recebida por segmentos importantes da imprensa. Um editorial do *Mail* trouxe como título: "Quem pôs fogo em Jim?".

No fim daquele primeiro e agitado dia, o premier se retirou para seu pequeno apartamento no topo do prédio e cuidou de entender o Twitter, uma versão primitiva, assim concluiu, do inconsciente feromonal. Leu as postagens recentes de Archie Tupper e começou a suspeitar de que o presidente norte-americano fosse, apenas possivelmente, "um de nós". Um sujeito obsequioso mandado pela equipe de TI de Whitehall ajudou o premier a abrir sua própria conta. Em duas horas, ele tinha cento e cinquenta mil seguidores. Uma hora depois, esse número havia dobrado.

Enquanto se espichava no sofá, Jim descobriu que um tuíte era o instrumento perfeito para refletir com sabedoria sobre o caso Roscoff, como o incidente passou a ser conhecido. Sua primeira tentativa foi debilmente derivativa. "O continuísta Larousse não passa de um perdedor e é, na minha opinião, o menos eficaz dos presidentes franceses de que se tem notícia." *Na minha opinião...* como se houvesse outras. Fraco. E não havia como voltar atrás. No dia seguinte, o presidente dos Estados Unidos acordou cedo para liderar o debate de sua cama e demonstrar como se fazia. "A pequenina Sylvie Larousse afundando navios ingleses. MALVADA!" Era poesia, combinando perfeitamente a densidade de significado com a liberdade de não se ater a detalhes insignificantes. Larousse tinha sido emasculado e diminuído com uma provocação que, verdadeira ou não (seu nome era Sylvain e ele tinha um metro e setenta e cinco), se colaria para sempre à sua imagem; o barco de pesca se transformara num navio, o navio se transformara em navios; nenhuma menção entediante aos mortos. O veredito final era infantil e puro, memorável e corretamente expresso em uma só palavra. E aquele floreio das letras maiúsculas, o lacônico ponto de exclamação! Da terra dos homens livres vinha uma lição de liberdade imaginativa.

Mais tarde, com o lápis suspenso acima do caderno de notas, Jim examinou certas melhorias à Lei do Reversalismo. Podia ver oportunidades para os criminosos: fique desempregado, compre incansavelmente nas lojas, encha uma mala com dinheiro vivo, corra para alguma dessas economias sujas da União Europeia, abra uma conta bancária. Trabalho para ganhar dinheiro em Calais, fazer compras para ganhar dinheiro em Dover. Filhos da puta. A solução era clara — já estava mesmo acontecendo. A sociedade sem dinheiro vivo criaria um rastro digital para cada libra ganha nas lojas e cada libra gasta no trabalho. Poupar somas acima de vinte e cinco libras seria um crime, muito bem anunciado. Sentença máxima? Melhor não ser duro demais, não de início. Por isso, cinco anos.

Escreveu as notas rapidamente em boa caligrafia, obtendo prazer do ato de desenhar letras. Um polegar opositor não era mesmo uma ideia ruim. Espécies jovens e arrogantes como a do *Homo sapiens* às vezes exibiam um traço evolucionário útil. Quanto à elaboração ou divulgação de ideias, o ato de escrever, malgrado seu encanto artesanal, era tristemente analógico. Ele fez uma única pausa em seu trabalho para devorar um prato de parmegiana levado a ele numa bandeja. Não tocou na salada.

Próximo item. Tão logo a lei fosse aprovada, a preocupação imediata dele seria persuadir os norte-americanos a inverter sua economia. Todas as portas se abririam a partir de então. Os chineses seriam obrigados a inverter, para poder pagar suas exportações, o mesmo ocorrendo com o Japão e os europeus. Trazer Tupper para seu lado exigia bom preparo, agrados especiais. Jim estava em sua quarta página de notas. Problema: *AT não bebia / visita de Estado serviria para amaciá-lo / banquete com a rainha carruagem dourada lacaios fanfarras discurso no Parlamento etc. / Nobilíssima Ordem da Jarreteira mais Medalha da Vitória mais título de Sir / membro do White's / Hyde Park como campo de golfe particular.*

Mas o presidente norte-americano era um homem sério, de gostos refinados, com suas próprias convicções morais, cuja formação não o treinara para dar valor aos fascínios sutis das faixas e medalhas que compõem o sistema de honrarias. O que significava o clube White's ou o Hyde Park para quem possuía resorts de luxo e campos de golfe maiores? Quem se importaria com um "Sir", quando seria tratado a vida inteira como "senhor presidente"? No final da tarde daquele dia, o primeiro-ministro havia pensado cuidadosamente no assunto. Instruiu seus auxiliares a pesquisar certos detalhes legais do sistema norte-americano e a extensão do poder presidencial, a fim de ver como operariam numa economia de contrafluxo. Jim agora tinha tudo de que precisava saber sobre o artigo segundo da Constituição dos Estados Unidos. Estava a par da força da lei e do assombroso alcance das ordens executivas. Como a maioria das pessoas, ele já sabia que o presidente era também o comandante em chefe das Forças Armadas. O secretariado do ministério tinha fornecido a Jim uma apreciação geral do processo pelo qual o orçamento da Defesa americana era negociado e executado. Jim tinha em suas notas a soma precisa em bilhões de dólares para o ano seguinte. O procurador-geral tinha vindo à Downing Street para explicar a situação. O presidente norte-americano podia, por uma ordem sua, tomar decisões próprias sobre o orçamento da Defesa depois de aprovado pelo Congresso. De acordo com os processos padronizados do reversalismo, os fundos fluiriam dos funcionários do Exército, da Marinha e da Aeronáutica, bem como dos fornecedores e de todos os fabricantes, direto para o presidente. Setecentos e dezesseis bilhões de dólares seriam seus.

"Dele próprio? Legalmente dele?", Jim havia perguntado ao procurador-geral.

"Legalmente, sim. Abriria um precedente capaz de surpreender seus adversários. Mas com esse presidente a maioria das pessoas já se acostumou a ter surpresas."

"Deixe-me ser bem claro", disse Jim. "Ele poderia pôr esse dinheiro em sua conta bancária?"

"Claro. Talvez nas ilhas Cayman. O presidente russo até poderia ajudar. Mesmo com juros baixos, ele poderia viver razoavelmente bem com uns sete ou oito bilhões de dólares por ano sem mexer no capital."

"E a Defesa americana?"

O procurador-geral riu. "O Congresso ratificaria o orçamento outra vez. Atualmente eles adoram tomar empréstimos."

Mas agora, quando o Big Ben ali perto bateu onze dolorosas horas, Jim se preocupou com a forma como faria tal proposta por telefone. Tupper não era alguém chegado a uma vida simples. Setecentos e dezesseis bilhões seriam suficientes? Será que deveria sugerir que o presidente se apropriasse também do orçamento da educação? Além do orçamento da saúde? Mas isso exigiria três ordens executivas. Complicado demais. Ia ter que se arriscar. Eram seis horas da tarde em Washington. O presidente estaria ocupado vendo televisão e talvez não apreciasse a interrupção. Jim hesitou mais alguns segundos, contemplando as espirais de cores vermelho-arroxeadas e branco-cremosas incrustradas em seu prato de jantar vazio. Depois telefonou para a equipe de apoio da noite, mandando que fosse feita uma ligação sem registro formal. Foram necessários vinte e cinco minutos para trocar protocolos de identificação, ativar o sistema de embaralhamento e criptografia de voz e obter a anuência do presidente, além de outros dez para completar a chamada. Nada mau para um contato não planejado.

"Jim."

"Senhor presidente. Espero que eu não o esteja incomodando em meio a algum importante..."

"Não, eu só estava, hã... Ouvi dizer que você está baixando o pau nos franceses."

"Eles mataram seis rapazes nossos."

"Matar não é uma coisa boa, Jim."

"De jeito nenhum. Concordo inteiramente."

Por um momento preocupante, a concordância entre eles esvaziou a troca de propósitos. Jim ouvia no fundo gritos, disparos e o relinchar de muitos cavalos, seguidos de uma súbita mudança de cena, a música orquestral portentosa de trompas e cordas sugerindo vastos desertos com cactos e mesetas. Ele tentou encontrar um terreno seguro com conversa-fiada. "Como está a Mel..."

Mas o presidente o interrompeu: "Qual são as últimas daquela coisa, você sabe, o projeto do revangelismo?".

"Reversalismo? Fantástico. Estamos quase prontos para dar a partida. Grande excitação por aqui. É uma virada histórica."

"Sacode mesmo a roseira! Pau na União Europeia!"

"Sr. presidente, é sobre isso que eu quero lhe falar."

"Você tem dois minutos."

O primeiro-ministro, então, expôs o assunto nos termos que seu procurador-geral tinha usado, acrescentando alguns floreios hidráulicos e imagens meteorológicas por conta própria. Pelos encanamentos subia um contrafluxo de energia recém-gerada que iria explodir violentamente os velhos conceitos, eliminando os antigos bloqueios e, na ponta final, fazendo surgir uma fonte fabulosa de transações comerciais e recursos financeiros, dólares eletrônicos que cairiam no solo como uma chuva havia muito esperada, como uma tempestade de folhas outonais em espiral, como um turbilhão de flocos de neve entrando na sua…"

"Minha conta?", perguntou o presidente com voz rouca. "Está dizendo na minha conta de pessoa jurídica?"

"Num paraíso fiscal, é claro. Peça ao seu pessoal para verificar."

Um silêncio só quebrado pelas ondas de riso vindas do aparelho de TV, juntamente com os acordes de um piano em ritmo de ragtime, o tilintar de copos e disparos de revólver comemorativos.

Por fim: "Quando você coloca desse jeito, vejo que talvez a coisa dê certo mesmo. Sem dúvida. Acho que, juntos, podemos fazer esse revangelismo funcionar, Jim. Mas agora tenho um… hã…".

"Uma última coisa, sr. presidente. Posso lhe fazer uma pergunta pessoal?"

"Claro. Desde que não seja sobre…"

"Não, não. Naturalmente. É sobre… *antes.*"

"Antes do quê, Jim?"

"Seis?"

"Repita."

"Tudo bem. Você é… Você foi antes…"

"Fui antes o quê?"

"Teve… hã…"

"Meu Deus! Diga logo, Jim! Tive o quê?"

Saiu num sussurro. "Seis pernas?"

A linha ficou muda.


O tempo, esse emblema confiável do estado de espírito privado e nacional, estava em plena turbulência. A uma onda de calor de cinco dias, com temperaturas jamais registradas, seguiram-se duas semanas de chuvas recordes no país inteiro. Assim como todos os rios menores, o Tâmisa transbordou, deixando a praça do Parlamento sob dez centímetros de água, na qual boiava uma grande quantidade de plástico e papelão. Nem os melhores fotógrafos foram capazes de tornar a cena pitoresca. Tão logo as chuvas cessaram, um forte calor soprou dos Açores e uma segunda onda mais demorada de calor teve início. Durante uma semana, enquanto as inundações retrocediam, as áreas de Londres mais próximas do rio ficaram cobertas por uma camada de lama grossa e escorregadia. A umidade nunca ficou abaixo de noventa por cento. Quando a lama secou, veio a poeira. Quando os ventos escaldantes sopravam, coisa que faziam com incomum ferocidade e por dias a fio, ocorriam tempestades inéditas de areia nas cidades, nuvens marrom-amareladas de um pó suficientemente denso para obscurecer Nelson no alto de sua coluna. Parte da areia, como as análises demonstraram, vinha do Saara. Um escorpião negro de dez centímetros foi encontrado vivo numa remessa de tâmaras à venda no Borough Market. Era impossível persuadir as agitadas redes sociais de que esses insetos venenosos não eram trazidos pelo vento do norte da África devido a uma corrente que soprava para o sudoeste. Uma praga de escorpiões tinha ecos bíblicos. Reais ou não, eles reforçaram o profundo mal-estar daquela substancial minoria do eleitorado convencida de que se estava prestes a viver uma catástrofe causada por um governo de ideólogos imprudentes. Outra minoria substancial, ligeiramente maior, acreditava que se estava às vésperas de uma grande aventura. Mal podiam esperar por seu começo. Ambas as facções possuíam representações no Parlamento, embora não no governo. O clima tinha razão. Turbulência e pouca visibilidade estavam na ordem do dia por toda parte.

Em nada ajudou os franceses terem liberado, um a um, os corpos dos pescadores em seus caixões, depois da autópsia, ao longo da semana. Eles foram levados de avião para Stansted, que não era o tipo de aeroporto em que Jim queria ser visto. Por insistência do governo, os corpos não foram entregues imediatamente às famílias. Em vez disso, ficaram guardados em câmaras frigoríficas nas imediações de Cambridge, e, quando o último chegou da França, os seis foram transportados para a cidade de Royal Wootton Bassett num cargueiro da RAF. Jim se encarregou do planejamento. Decidiu que não haveria banda marcial. Ele se postaria sozinho na pista de pouso, encarando em silêncio a equipe de filmagem e o enorme avião de quatro motores taxiando até parar. Uma figura corajosa e solitária confrontando a gigantesca máquina. As antenas de Jim tinham uma sintonia fina com o sentimento popular. Foi o primeiro dia das chuvas copiosas. Os caixões, envoltos na bandeira nacional, foram trazidos em fila indiana por membros da Guarda dos Granadeiros, marchando em lento passo fúnebre, e colocados aos pés do primeiro-ministro. A chuva teve uma boa atuação. De forma correta ele rejeitou um guarda-chuva e ficou em posição de sentido debaixo do temporal. Seriam lágrimas em seu rosto? Era razoável pensar que sim. A nação se uniu num momento frenético de pesar. Em Hull e em Londres, perto do navio de guerra *Belfast*, havia pilhas de doze metros de altura com flores, ursinhos de pelúcia e botes de pesca de brinquedo.

Veio então a segunda onda de calor. Situado sob um teto abrasador e com as janelas bem fechadas contra os ventos que traziam pó, o apartamento do primeiro-ministro ficou quentíssimo. Mas Jim ganhava energia com o calor úmido. Nunca se sentira tão saudável. Seu sangue, excitado e tornado mais ralo, corria por todo o corpo e alimentava a mente ativa com novas ideias. Ele se recusara a substituir Simon por outro conselheiro especial. Havia também dispensado as reuniões ministeriais. Seu único propósito agora era transformar em realidade o reversalismo, e dedicava a isso todas as suas forças, como prometera ao Parlamento. O reversalismo o consumia, ele nem sabia mais por que ou como. Entrou num estado de beatitude quase inconsciente, sem se importar com o tempo, a fome ou com sua própria identidade. Estava delirantemente obcecado, incendiado por uma estranha paixão, pelo impaciente desejo por explicações, detalhes, revisões. Movido por uma vaga lembrança de Churchill em 1940, anexava a qualquer instrução por escrito: "Reporte-se hoje a mim para confirmar que o dito acima foi executado". Essas palavras foram divulgadas para a imprensa. O primeiro-ministro se reuniu com os chefes do mi5 e 6, líderes do mundo dos negócios e dos sindicatos, médicos, enfermeiros, fazendeiros, diretores de escolas e de penitenciárias, reitores de universidades. Preferindo não responder a nenhuma pergunta, explicava pacientemente como os diferentes setores iriam prosperar no novo regime. Fazia consultas regulares com seu líder na Câmara. Tudo indicava que a Lei do Reversalismo passaria com facilidade, com uma margem de cerca de vinte votos. O premier escreveu memorandos, expediu ordens, deu telefonemas de encorajamento a seus ministros. Para Shirley, enviava declarações à imprensa de cunho inspirador. Os funcionários públicos estavam agora devidamente mobilizados; em toda Londres as luzes permaneciam a noite inteira acesas nos ministérios, assim como no apartamento da Downing Street. Do lado de fora, mensageiros faziam fila dia e noite, a fim de recolher ou entregar documentos demasiado secretos para serem confiados aos meios de transferência digital.

Longe dali as coisas também corriam bem. A fazenda de um cidadão inglês na Provence fora pintada de vermelho por patriotas franceses. Os jornais sensacionalistas de Londres reagiram com salutar indignação. Quando o primeiro-ministro acusou o presidente Larousse de ser pessoalmente responsável pelo ato de vandalismo, o *Sun* publicou uma caricatura da figura icônica de John Bull com o rosto de Jim segurando um porrete. A imagem circulou intensamente na internet. Nas pesquisas de opinião, Sams estava quinze pontos à frente de Horace Crabbe. Nos tuítes que disparava de manhã bem cedo, o presidente dos Estados Unidos descreveu o primeiro-ministro Sams como "um grande homem" e anunciou que era chegada a hora de inverter toda a economia norte-americana. Antes do almoço, o índice Dow Jones desabou mil pontos. Na manhã seguinte, Tupper mudou de opinião. Ele estava, disse então, só "flertando com a ideia". As bolsas em todo o mundo se tranquilizaram. Quando o presidente da Federal Reserve descartou o reversalismo como "coisa de doidos", o presidente reagiu raivosamente, mudando mais uma vez de opinião. O reversalismo entrou de novo em cena: ele "poria a velha elite de joelhos". Dessa vez o Dow Jones não se agitou. Como disse um operador experiente de Wall Street, os mercados entrariam em pânico quando chegasse a hora de entrar em pânico.

Foi Gloria, a jovem vestida de terninho que acordara Jim naquela primeira manhã, quem bateu à porta tarde da noite para lhe dar a notícia. Simon tinha sido encontrado enforcado por um cabo de reboque no quarto de sua casa em Ilford, onde morava sozinho. Melhor ainda, não havia deixado nenhum bilhete. Estava morto fazia pelo menos uma semana. Enquanto Gloria desceu para achar alguma garrafa de champanhe, Jim escreveu uma breve nota de elogio e condolências. Ótimo que Simon não estivesse escrevendo suas memórias ou conspirando com os inimigos do Projeto. Gloria lhe deu boa-noite e pegou o caloroso encômio — profundamente comovente, todos diriam —, a fim de entregá-lo no térreo a Shirley para que fosse digitado e divulgado. O primeiro-ministro tomou a garrafa inteira sozinho enquanto trabalhava. Mas sua costumeira concentração ficou um tanto afetada. Alguma coisa o incomodava, um pequeno fio de suspeita que se desenrolava e que ele não conseguia explicar inteiramente. Por fim, precisou deixar de lado a caneta para refletir sobre aquilo. Era uma superstição trivial que ele, a mais racional das criaturas, não podia ignorar: ultimamente só tinha havido boas notícias — o ritmo estimulante de trabalho, os cálculos do líder do governo na Câmara, o colapso da revolta do Comitê de 1922, os pescadores mortos, sua imagem na imprensa, sua popularidade crescente, a tinta vermelha, os elogios de Tupper — e agora isso. Será que ele estaria sendo pouco razoável, quando a experiência de uma vida inteira demonstrava que toda torrente de boa sorte em algum momento vai secar? Pendurado em sua corda, Simon havia deixado o primeiro-ministro nervoso. Ele dormiu mal, preocupado a noite toda com a possibilidade de que essa morte bem-vinda pressagiasse uma reviravolta.

E foi o que aconteceu na manhã seguinte; não uma, mas sim duas. A primeira notícia negativa chegou sob a forma de um e-mail matutino do líder do governo na Câmara. Havia uma conspiração secreta no baixo clero de seu próprio partido, um grupo de continuístas vinha se encontrando num local fora de Londres. Não se sabia muito sobre eles, quantos eram ou seus nomes. Havia candidatos óbvios, porém nenhuma prova, apenas negativas chochas. Eles tinham votado com o governo até então para ocultar suas identidades. Era um mistério ou um milagre a forma como haviam escapado à atenção do líder. Mas uma coisa se sabia sem nenhuma dúvida: o ministro do Exterior, Benedict St. John, era a força motriz, suspeitando-se que a intenção do grupo era derrotar a Lei do Reversalismo quando ela voltasse à Câmara.

Essa infame deslealdade ficou na mente do premier enquanto ele se barbeava, se vestia e descia a escada. Em sua fúria, queria agredir alguém ou quebrar alguma coisa. Foi um esforço mostrar-se agradável quando um jovem funcionário o cumprimentou no corredor. Tinha estado preocupado demais, complacente demais. Deveria ter lidado com Benedict St. John dias antes. Se pudesse, Jim ficaria muito feliz em cortar a garganta dele com um machado. Esses pensamentos furiosos e violentos só começaram a se desvanecer ao se sentar para tomar café, quando sua secretária de imprensa, sem abrir a boca, pôs diante dele a reportagem de página dupla do *Daily Telegraph*.

Era um daqueles vazamentos vindos do núcleo duro do governo pelos quais o jornal se tornara famoso, aparentemente sem se importar com o efeito contrário daquela matéria sobre a essência do reversalismo. O fascínio pelo furo de reportagem era absoluto. Tratava-se de um competente resumo de memorando da Marinha Real no qual ficava claro que o caso Roscoff tinha sido um acidente. Era difícil duvidar disto: informações de radar e satélite, interceptações das comunicações entre a fragata e a costa, bem como entre os mergulhadores e a fragata, escutas telefônicas entre a embaixada francesa e o Palácio do Élysée, depoimentos das testemunhas oculares. Jim leu e releu o artigo. Nada ali a que Simon pudesse ter tido acesso. Entre as muitas ilustrações e fotografias, havia uma foto dele encharcado sob a chuva e de pé na pista de pouso junto aos caixões cobertos pela bandeira nacional. O vazamento era uma manobra política e sem dúvida um ataque inspirado pelos continuístas. A fonte era evidente, os dois fatos negativos estavam relacionados. Seus inimigos haviam se posto em marcha e o reversalismo se encontrava ameaçado. Jim sabia que precisava agir com rapidez.

O escritório de Shirley já tinha preparado um comunicado à imprensa. Jim o leu de cima a baixo, riscando todas as sugestões de desculpa aos franceses. Era uma postura defensiva bem razoável. Ele não daria entrevistas. O comunicado dizia, em essência, que o primeiro-ministro estava imensamente aliviado por saber que o que se passara com a tripulação do *Larkin* fora resultado de um trágico acidente. Agora, graças à nossa corajosa Marinha Real, era conhecida a prova irrefutável que o governo francês, por suas próprias razões, fora incapaz de fornecer. A terrível perda sofrida pelas famílias da tripulação continuava a ser matéria de profundo etc... país em luto etc. O primeiro-ministro agradecia às autoridades francesas por toda a sua etc. etc., e desejava tranquilizar nosso bom vizinho quanto ao fato de que a rotineira interceptação das comunicações por rádio e telefone deles constituía apenas uma sincera expressão da profunda estima do Reino Unido etc. para com a Quinta República.

Ele assinou o texto e, ao voltar para o andar de cima, disse à sua equipe que não queria ser incomodado. No apartamento, trancou a porta, espalhou os papéis sobre a mesinha de café e pôs no centro dela um grande bloco de notas e uma caneta esferográfica de tinta vermelha. Sentou-se, hesitante, queixo apoiado na mão, e começou a escrever nomes, desenhando círculos em volta deles e os ligando com linhas simples ou duplas adornadas de flechas e pontos de interrogação. Avaliou as ações e suas possíveis consequências, a probabilidade de serem descobertas e a de negá-las através do prisma deformador das alianças, da ruptura e da desgraça. Sua mente estava perfeitamente sintonizada e equilibrada, bem-adaptada, pela herança vinda de tempos imemoriais, à arte da sobrevivência e à evolução de sua espécie. Além disso, uma vida de luta constante e quase rotineira havia aperfeiçoado nele uma capacidade magistral de defender sem maiores esforços tudo que possuía — ao mesmo tempo que parecia não fazê-lo. Estava tranquilo por saber que venceria. Naquele momento de maquinações, tinha plena consciência do que fazia e apreciava integralmente o componente alegre da política no que ela tinha de mais puro, que era a busca dos fins a qualquer preço. Tendo pensado e calculado bastante, depois de meia hora ficou claro que era tarde demais para encomendar o assassinato do ministro do Exterior. Virou a página para uma em branco e se pôs a refletir.

Havia outras formas mais sutis de matar. A vida social contemporânea era um arsenal metafórico de novas armas, armadilhas, dardos envenenados e minas terrestres à espera de um passo descuidado. Dessa vez Jim não hesitou. Levou duas horas para escrever o artigo, possivelmente para o *Guardian*, uma espécie de confissão que exigiu do autor o truque, de todo estranho à sua natureza, de ocupar a mente de outra pessoa. Perseverou e, depois de apenas três parágrafos, começou a sentir pena de si próprio, ou de quem ele teria que encontrar e bajular. Ou ameaçar. Era um estratagema aberto. Só escrevendo é que ele poderia ser descoberto. Quando terminou, caminhou eufórico de um lado para o outro no espaço confinado do sótão. Não havia nada mais libertador do que uma sequência bem costurada de mentiras. Então era por isso que as pessoas se tornavam escritores! Voltou a se sentar, a mão suspensa acima do telefone. Havia três nomes em sua lista. Em qual deles poderia confiar? Ou de quem desconfiava menos? Ao se fazer a pergunta, ele já conhecia a resposta, e seu indicador começou a apertar as teclas.

Uma coisa todos sabiam sobre Jane Fish: ela fumava cachimbo. Todo mundo também sabia que, na verdade, ela não fumava. Nem mesmo cigarro. Anos antes, ao iniciar a carreira no cargo mais humilde, mais deplorável e menos popular do governo — o de secretária de Estado para a Irlanda do Norte —, ela havia comparecido, em Belfast, a um evento de uma instituição de filantropia que fazia campanha contra o fumo. Ela concordou em tragar um cachimbo e soprar a fumaça no rosto de uma criança, para demonstrar os perigos do fumo passivo. Os olhos da menininha estavam fechados e ela não inalou. Mas a vida pública não perdoa. Seguiu-se a costumeira tempestade de dois dias na mídia. O fato de Fish ser expansiva e aparecer com frequência no noticiário e de ter um rosto agradável mas sem nenhum traço excepcional obrigou os cartunistas a manterem o cachimbo em sua boca. Para os escritores de quadros cômicos, ela seria para sempre "Jane Fish, a chaminé". Ela era popular. Quanto a suas opiniões, gostava de assumir posições fortes, sendo muito bem-vista por ser contrária à amamentação em público. Tinha sido uma fervorosa continuísta até que, em respeito ao desejo popular, se tornou uma fervorosa reversionista. Era admirada por falar bem das duas coisas.

Das três mulheres na lista de Jim, ela era, na opinião do primeiro-ministro, a que mais se aproximava das raízes feromonais. A avaliação dele se mostrou correta. Ao telefone naquela noite, depois que ele expôs os fatos, Jane de pronto entendeu a necessidade de uma ação firme. Confidenciou que sempre tivera dúvidas sobre Benedict. Jim imediatamente mandou um mensageiro de bicicleta levar seu artigo escrito à mão dentro de uma mala postal selada. Ela telefonou para Jim noventa minutos depois com sugestões de mudança. Algumas tinham a ver com detalhes históricos, outras eram o que chamou de "uma questão de tom de voz". Na manhã seguinte, Shirley digitou o manuscrito cheio de emendas e foi para King's Cross negociá-lo com o editor do *Guardian*. O primeiro-ministro havia insistido em que sua secretária de imprensa ficasse no local enquanto o artigo estivesse sendo produzido. Tratava-se de um jornal de mente aberta que certa vez publicara em sua página de opinião uma coluna assinada por Osama bin Laden, além de empregar como jornalista um membro remunerado da Hizb ut-Tahrir, uma organização extremista. Era um pouco forçado publicarem uma matéria de Jane Fish, mas como um jornal continuísta poderia resistir ao fato de um ministro destruir um colega do governo que seus editores desprezavam?

É um espetáculo maravilhoso, profundamente emocionante, quando um grande jornal dispõe de apenas algumas horas para publicar uma história importante. Imensa capacitação e trabalho de equipe, registros antigos e análises rápidas desempenham um nobre papel. O prédio inteiro emite um zumbido. Shirley contou mais tarde a seus assistentes que era como estar num hospital de campanha no auge da batalha. Toda a primeira página foi reformulada, além de três páginas internas e um editorial da própria redatora-chefe. Às cinco da tarde, os primeiros exemplares saíram das rotativas. Esse pode ter sido um momento significativo para velhos jornalistas, ter em mãos um exemplar saído do prelo. Mas era irrelevante. Àquela altura, a página do jornal na internet vinha divulgando as revelações, com atualizações constantes, por quatro horas, tempo mais que suficiente para que seus concorrentes usassem a história nas edições do dia seguinte e para que os noticiários noturnos de televisão mudassem suas pautas. As redes sociais e os blogs e sites políticos estavam pegando fogo. O caso Roscoff, com seus insignificantes detalhes históricos sobre assassinatos que no fim resultaram ser um acidente, foi caindo nas listas. Se o primeiro-ministro tinha apontado o dedo para os franceses, enganara-se como todo mundo. Nenhuma trapaça ao largo da costa da Bretanha, mas muita ali em Whitehall. Alguém que ocupava um dos cargos mais importantes do Estado havia caído em desgraça. Onde se encontrava o ministro do Exterior? Quando iria pedir demissão? Como o governo lidaria com a crise? O que isso significava para o reversalismo? Quando os homens poderosos mudariam de comportamento? Para esta última pergunta, a resposta do primeiro-ministro era uma só palavra.

QUATRO

Continha 2857 palavras e havia sido escrito mais como uma manifestação de pesar que de vingança. Era um relato de assédio, bullying, provocações obscenas e toques inapropriados que às vezes resvalavam em maus-tratos verbais. O fato de Fish ter enfatizado que não houve um verdadeiro estupro deu mais veracidade ao relato. Que aquela mulher do norte do país e sem papas na língua falasse sobre tais assuntos com tamanha sensibilidade e franqueza levou muita gente às lágrimas. Até mesmo um sub-relator ficou com os olhos marejados. Os acontecimentos horríveis se referiam a um período de vinte meses e tinham ocorrido quinze anos antes, quando Jane Fish era secretária parlamentar de Benedict St. John e ele ocupava o cargo de ministro do Trabalho e da Previdência. Desde então ela vinha sofrendo, temerosa demais por sua carreira e humilhada demais para trazer tudo aquilo a público, além de ter o estranho desejo de proteger seu brilhante colega. Rompia agora o silêncio porque a filha mais nova do ministro do Exterior completara dezoito anos e porque ela passara a acreditar que tinha um dever para com as mulheres mais jovens que ocupavam posições vulneráveis como a que ela havia ocupado. A manchete de primeira página era: "VERGONHA DO MINISTRO DO EXTERIOR". Uma fotografia daquela época mostrava Fish caminhando atrás de St. John em direção a um trem, carregando a bagagem dele. Em volta do artigo, havia textos explicativos e análises. Em seu editorial, a redatora-chefe deplorou um comportamento tão vil, mas alertou sobre a necessidade de não serem feitos julgamentos apressados. Na página de opiniões, um jornalista mais jovem da equipe do *Guardian* afirmou que a vítima tem sempre não apenas razão, mas também o direito de que se acredite nela.

Lendo seu exemplar do jornal naquela tarde, a sós na sala de reuniões ministeriais, o primeiro-ministro concluiu que, levando tudo em conta, ele se inclinava em favor daquela segunda postura. Quanto mais lia o que havia escrito e admirava a apresentação gráfica, mais convincente a coisa se tornava. Era preciso dar crédito a Jane. Mentiras tão injuriosas, cruéis e desapiedadas! Tamanho insulto às verdadeiras vítimas do poder masculino! Tinha dúvidas se ousaria assinar um artigo como aquele. Emoldurada e confinada naquelas páginas, a história gerava sua própria verdade, tal qual ele imaginava que um reator nuclear produzisse seu próprio calor. Tivessem aquelas coisas acontecido ou não, elas poderiam ter acontecido, poderiam facilmente ter acontecido, era inevitável que acontecessem. Tinham acontecido! Ele estava começando a se sentir indignado em nome de Jane. O ministro do Exterior era um crápula. Pior do que isso, estava atrasado.

Cinco minutos depois, quando St. John chegou, Jim ainda lia as páginas, agora de forma ostensiva, com a cane-

ta na mão. Os dois não se cumprimentaram e o primeiro-
-ministro nem se levantou. Em vez disso, indicou a cadeira
à sua frente. Por fim, dobrou o jornal e o afastou, suspirou
e balançou a cabeça com ar tristonho: "Bem... Benedict".

O ministro do Exterior não respondeu. Continuou
olhando Jim fixamente. Era desconcertante. Para preen-
cher o silêncio, o premier acrescentou: "Não estou dizendo
que acredito numa palavra disso".

"Mas...?", St. John sugeriu. "Você estava prestes a dizer 'mas'."

"Estava mesmo. Mas, mas e mas. Isso não é bom para
nós. Você sabe disso. Até que seja esclarecido, preciso que
você se afaste."

"Claro."

Fez-se silêncio de novo. Jim disse bondosamente: "Eu
sei como costumava ser. Umas brincadeirinhas atrás dos fi-
chários. As coisas agora mudaram. Esse tal de "Me Too" e
tudo isso. Aí está o seu mas. Você tem que ir. Isso é definitivo. Preciso da sua carta".

St. John se inclinou sobre a mesa, puxou o jornal para
perto e o abriu. "Você está por trás disso."

O premier deu de ombros. "Você vazou para o *Telegraph*."

"O nosso era totalmente verdadeiro. Mas o seu...!"

"O nosso agora é verdadeiro, Benedict." Jim deu uma
olhada no relógio. "Olhe, será que vou precisar demitir
você?"

O ministro do Exterior tirou do bolso uma folha dobrada em quatro e a jogou na mesa. Jim a abriu. Linguagem padronizada. Grande honra haver servido... alegações
infundadas... desviar a atenção do valiosíssimo trabalho do
governo.

"Bom. Assim você vai poder passar mais tempo com seus conspiradores."

Benedict St. John nem piscou. "Nós vamos te foder, Jim."

Nesse tipo de troca de palavras, era importante ter, senão a última palavra, a última fustigada. Ao se levantar, o primeiro-ministro apertou um botão debaixo da mesa. Tudo tinha sido cuidadosamente acertado. Um policial com uma grande barba entrou, carregando um fuzil automático.

"Leve-o para fora pela porta principal. E vá bem devagar", disse Jim. "Não solte o cotovelo dele até que tenha atravessado os portões."

Os dois homens trocaram um aperto de mãos. "Estão esperando por você lá fora, Bennie. Boa oportunidade para os fotógrafos. Quer que eu lhe empreste um pente?"


No quase infinito compêndio das regras da União Europeia e dos protocolos de comércio da união aduaneira, nada havia que impedisse um país-membro de inverter a circulação de suas finanças. Não chegava a ser uma permissão. Ou chegava? Era um princípio fundamental de qualquer sociedade aberta que tudo era legal até haver uma lei em contrário. Mais além das fronteiras orientais da Europa, na Rússia, na China e em todos os Estados totalitários do mundo, tudo era ilegal a menos que o Estado permitisse. Nos corredores da UE, ninguém ainda havia pensado em excluir a inversão do fluxo de dinheiro das práticas aceitáveis porque ninguém jamais tinha ouvido falar naquilo. Mesmo que tivesse ouvido, seria difícil definir os princípios legais ou filosóficos pelos quais a inversão deveria ser algo ilícito. Recorrer aos conceitos mais básicos não ajudava. Todo mundo sabia que, com relação a todas as leis da física exceto uma, não existia uma razão lógica que impedisse que os fenômenos descritos fossem para trás assim como iam para a frente. A famosa exceção era a segunda lei da termodinâmica. De acordo com essa linda concepção mental, o tempo só pode fluir numa única direção. O reversalismo então era uma instância especial da segunda lei e, portanto, a negava. Ou não? Essa questão foi calorosamente debatida no Parlamento, em Estrasburgo, até a manhã em que os membros tiveram que voltar para Bruxelas, como ocorria com frequência. Após terem chegado, desfeito as malas e desfrutado de um almoço decente, todos já haviam perdido o fio da meada, mesmo quando um especialista teórico veio dos laboratórios do CERN com a missão específica de explicar tudo em menos de três horas com a ajuda de algumas interessantes equações. Além disso, no dia seguinte uma nova questão foi suscitada. Será que aquilo que o cientista havia dito permaneceria verdadeiro se ele tivesse dito de trás para a frente?

A questão, como muitas outras, foi posta de lado. Estava agendado um debate agridoce sobre os sorvetes moldávios. O assunto não era tão trivial quanto os jornais eurofóbicos de Londres declaravam ser. A luta para harmonizar os ingredientes do produto de alta qualidade da Moldávia com as regras da UE representava um microcosmo das tensões diplomáticas entre o Ocidente e a Rússia acerca do futuro do diminuto país estrategicamente situado. Era um assunto complexo, porém, ao menos em teoria, passível de solução. O reversalismo estava longe disso.

Os funcionários médios de Bruxelas tinham observado com assombro a surpreendente decisão tomada pelo referendo. Depois, afinal, tenderam a relaxar e a dar de ombros à medida que todo o processo, como era de prever, se atolou num lodaçal de complexidades. Com certeza aquele absurdo estava prestes a ser engavetado, obedecendo às melhores tradições. Mas ultimamente havia um assombro ainda maior ao se notar que o simpático e vacilante primeiro-ministro Sams parecia ter sofrido uma mudança de personalidade, ressurgindo como um Péricles moderno, astuto e feroz no afã de fazer passar o reversalismo, num espírito de ou mata ou morre, com ou sem a Europa. Será que iria mesmo acontecer? Será que a mãe de todos os parlamentos não poderia devolver a sanidade mental à nação? Será mesmo que qualquer cidadão de Bruxelas, necessitado de diversão, poderia ir passar um fim de semana suntuoso no London Ritz e depois de fazer o check-out ir embora dali com três mil libras no bolso? E talvez ser preso no mesmo dia por estar de posse de fundos ilegais? Ou ter seus recursos confiscados ao deixar o país? Ou — que horror — ser obrigado a comprar um emprego nas cozinhas do hotel, lavando pratos até que o dinheiro acabasse? Como podia uma nação fazer isso consigo mesma? Era trágico. Era risível. Sem dúvida os gregos tinham uma palavra para isso, para o fato de alguém resolver agir em favor de seus piores interesses. Sim, tinham. Era *akrasia*. Perfeita. A palavra começou a circular.

Mas os sorrisos de perplexidade, fadiga ou condescendência começaram a se desvanecer quando os tuítes do presidente dos Estados Unidos sobre o assunto se tornaram mais consistentes. Em nome do livre-comércio, da prosperidade e grandeza norte-americanas e da superação da pobreza, o reversalismo era "bom". O primeiro-ministro Sams era "um grande homem". E, embora pelas convenções de subsidiariedade da UE aquela fosse uma questão estritamente interna, muitos em Bruxelas se irritaram quando o presidente Tupper propôs que um ex-general, bilionário e dono de vários cassinos, fosse o novo "tsar" do Serviço Nacional de Saúde do Reino Unido. Por essas várias razões, o primeiro-ministro foi ouvido com rara cortesia quando discursou no quartel-general da Otan no início de dezembro.

Sams lá estava para substituir o ministro do Exterior caído em desgraça. Nada havia de substantivamente novo em seu discurso senão a urgência. O premier foi direto ao âmago da questão. Como todos sabiam, no dia 25 daquele mês o Reino Unido inverteria suas finanças e, em consequência, seu destino. "Reservem essa data!", ele exclamou alegremente, recebendo em troca sorrisos forçados. O primeiro-ministro leu uma lista de solicitações bem conhecidas dos negociadores presentes no auditório principal. A primeira das novas contribuições anuais da UE ao Reino Unido, no valor de onze bilhões e meio de libras, seria feita em 1º de janeiro. O primeiro pagamento da Otan não era esperado antes de junho. Os recursos que acompanhariam todas as exportações da UE para o Reino Unido deviam levar em conta uma taxa de inflação de dois por cento. E, para repetir — nesse ponto Jim abriu as mãos como se desejasse abraçar a todos —, num gesto de boa vontade a mesma taxa seria aplicada aos recursos que acompanhariam as exportações do Reino Unido para a UE. Seguiram-se alguns pormenores técnicos, bem como reafirmações sobre o "rumo" dos Estados Unidos. Em seus comentários finais, Jim manifestou a esperança de que em breve "todos compreenderão a verdade nua e crua", uma frase que deixou atarantada a intérprete búlgara em sua cabine no fundo do auditório. A verdade seria compreendida, disse o primeiro-ministro, e todos "nos seguirão de olhos fechados rumo ao futuro".

Mais tarde, ouviu-se um jovem diplomata francês dizer a um colega a caminho do banquete: "Não entendo por que se levantaram para aplaudir. E aplausos tão fortes, por tanto tempo".

"Porque", explicou o colega mais velho, "detestaram tudo o que ele disse."

Compreensivelmente, a imprensa britânica descreveu o discurso de Jim como um triunfo.

No dia seguinte houve um momento desconcertante em Berlim. Ele estava lá para um encontro particular com sua homóloga alemã. Ela tinha um dia cheio no Palácio do Reichstag e, se desculpando muito, o recebeu numa saleta perto de seu gabinete de trabalho. Estavam a sós, a não ser por dois intérpretes, dois anotadores, três seguranças, o ministro do Exterior alemão, a embaixadora britânica e o segundo-secretário da missão. Uma antiga mesa de carvalho separava os dois líderes em suas cadeiras. Os demais foram obrigados a permanecer de pé. Por cima do ombro da primeira-ministra, o premier via um museu do outro lado do rio Spree. Via também, através das janelas, uma mostra sobre a história do Muro de Berlim. Jim conhecia duas palavras em alemão: *Auf* e *Wiedersehen*. Lá pelo meio da reunião, ele pôs as cartas na mesa: queria que recursos adicionais acompanhassem as exportações de carros alemães para o Reino Unido em troca de recursos adicionais para suplementar as exportações britânicas de vinho riesling da região de Glasgow, que, como explicou, era bem superior ao produzido com aquela uva no Reno.

Foi então que a primeira-ministra o interrompeu. Com o cotovelo apoiado na mesa, encostou a mão na testa e fechou os olhos. "*Warum?*", ela disse, e a essa palavra juntou uma breve série de outras incompreensíveis para ele. Depois outra vez *"Warum"* e uma sequência mais longa. Em seguida, repetiu tudo. Por fim, com os olhos ainda fechados e a cabeça tombando na direção da mesa, um simples e choroso: *"Warum?"*.

Em tom monótono, o intérprete disse: "Por que o senhor está fazendo isso? Por que, com que objetivo está despedaçando sua nação? Por que está impondo essas exigências a seus melhores amigos e fingindo que são seus inimigos? Por quê?".

A mente de Jim sofreu um apagão. Sim, estava cansado de tantas viagens. Fez-se silêncio na sala. Do outro lado do rio, uma fila de estudantes se formava atrás da professora para entrar no museu. De pé atrás da cadeira dele, a embaixadora britânica limpou a garganta com um mínimo de ruído. A sala estava abafada. Alguém devia abrir uma janela. Uma série de respostas convincentes passou pela mente do primeiro-ministro, embora ele não as emitisse. Porque sim. Porque é o que estamos fazendo. Porque é nisso que acreditamos. Porque foi o que dissemos que iríamos fazer. Porque foi isso que o povo disse que queria. Porque eu vim para salvar a todos. Porque sim. Esta, em última análise, era a única resposta: *porque sim.*

Então o bom senso começou a voltar devagarinho e, aliviado, ele se lembrou de uma palavra de seu discurso na noite anterior: "Renovação", ele disse a ela. "E o avião movido a eletricidade." Depois de uma pausa ansiosa, tudo veio em um jorro. Graças a Deus. "Porque, madame primeira-ministra, tencionamos nos tornar limpos, verdes, prósperos, unidos, confiantes e ambiciosos!"

Naquela tarde, ele voltava ao Aeroporto Tegel, cochilando no banco de trás da limusine da embaixadora, quando seu celular tocou.

"Sinto muito, más notícias", disse o líder do governo na Câmara. "Ameacei tanto quanto pude. Eles sabem que vão ser expulsos do partido. Mas uns doze se passaram para o lado do Benedict. Ser posto para fora do ministério o tornou popular. E eles não acreditam em Fish. Ou, de qualquer forma, a odeiam. Do modo que as coisas estão agora, temos uns vinte votos a menos do que... Jim, está me ouvindo?"

"Sim, estou ouvindo", ele disse finalmente.

"E então?"

"Estou pensando."

"Prorrogar *pour mieux sauter*?"

"Estou pensando."

Ele estava olhando para fora da janela blindada. O motorista, precedido e seguido de motociclistas, havia tomado um caminho tortuoso através de estradinhas verdejantes, passando diante de barracões bem conservados, com jardins compactos e cuidadosamente tratados. Casas pequenas para os fins de semana, ele deduziu. Berlim exibia um acinzentado peculiar. Um cinza suave e agradável. Estava no ar, no solo leve e arenoso, nas fachadas de pedra mosqueadas. Mesmo nas árvores, nos gramados, nos muros cobertos de hera dos subúrbios. Era o cinzento fresco e espaçoso necessário para permitir uma reflexão aprofundada. Enquanto matutava e o líder do governo aguardava, Jim sentiu que sua pulsação se tornava mais lenta e seus pensamentos assumiam contornos tão límpidos e sólidos quanto as casinhas que iam ficando para trás. Era como se ele estivesse de posse de um cérebro antigo capaz de resolver qualquer problema moderno que estivesse à sua frente. Mesmo sem o auxílio básico do inconsciente feromonal. Ou da trivial internet. Sem papel e lápis. Sem conselheiros.

Olhou para a frente. A procissão de carros e motocicletas conduzindo o primeiro-ministro ao jatinho da RAF que o esperava havia parado para voltar à estrada principal. Naquele exato instante lhe ocorreu uma pergunta. Ela parecia ter emergido do fundo de um poço com quilômetros de profundidade. Como subiu de modo tão leve e belo para se apresentar a ele! Como era fácil formular a pergunta: quem ele mais amava no mundo? No mesmo instante ele soube a resposta, e soube exatamente o que iria fazer.

Ninguém se surpreendeu quando Archie Tupper pediu a um amigo homem de negócios que organizasse uma conferência reunindo os legisladores republicanos e os vários *think tanks* e institutos com os quais estavam associados. Esses encontros, que tinham um caráter quase religioso, eram bastante comuns, bem financiados, patrióticos e conviviais. A tendência geral era contra o aborto e a favor da segunda emenda, com grande ênfase no livre-comércio. Os setores de mineração, construção imobiliária, petróleo, defesa, tabaco e farmacêutico estavam bem representados. Jim se lembrou naquele momento que os frequentara algumas vezes antes de ser líder de seu partido. Guardava somente boas lembranças das figuras de meia-idade afáveis e corpulentas, com rostos rosados, bem escanhoados e perfumados, cavalheiros confortáveis em seus smokings. (Poucas mulheres participavam e nenhuma pessoa negra.) Um indivíduo simpático lhe fez um convite generoso para visitar uma fazenda em Idaho de mais de quatro milhões de quilômetros quadrados. Cinco minutos depois, outro prometeu recebê-lo em Louisiana numa propriedade que já existia antes da Guerra Civil. Generosos e amigáveis, eles tendiam a ser hostis a qualquer menção às mudanças climáticas e a organizações internacionais como as Nações Unidas, a Otan e a União Europeia. Jim se sentira em casa. Era inevitável que eles se interessassem bastante pelo projeto do reversalismo na Grã-Bretanha e ajudassem a financiá-lo, embora muitos achassem que era mais adequado a um país pequeno do que aos Estados Unidos. Mas talvez Tupper estivesse prestes a convencê-los do contrário. Deputados britânicos de direita tinham sido convidados diversas vezes nos últimos anos. Mas essa conferência organizada às pressas teria como tema as finanças do fluxo invertido. O presidente faria um breve discurso de abertura. Entre os convidados de fora havia quarenta deputados conservadores do Reino Unido favoráveis ao governo. O encontro se daria num hotel em Washington que por acaso pertencia a Archie Tupper, o que provavelmente conferiria certa intimidade aos trabalhos.

Para o grupo britânico, a data era inconveniente. A agenda parlamentar estava cheia. Só se falava de reversalismo. Havia muita ansiedade com a rebelião liderada pelo traiçoeiro ex-ministro do Exterior. O voto estava marcado para o dia 19 de dezembro. As questões referentes às bases eleitorais sempre se avolumavam nesse período, somando-se aos habituais compromissos de Natal e às reuniões familiares. Mas se tratava de uma viagem luxuosa, passagens de primeira classe, suítes de quinhentos metros quadrados em hotéis, diárias de mais de dez mil libras, aperto de mãos com o presidente e, pairando acima de tudo, a excitação ao ver que crescia o interesse norte-americano pelo Projeto Britânico. Além do mais, o primeiro-ministro havia escrito a cada um deles pedindo pessoalmente que comparecessem. Ele próprio não iria. Em seu lugar estava mandando Trevor Gott, o chanceler do ducado de Lancaster, um indivíduo desinteressante, vez por outra impulsivo e frequentemente descrito como "bidimensional". Mas não havia nenhum inconveniente — os deputados pediram desculpas aos colegas, aos integrantes de suas bases eleitorais e aos familiares, cuidando de fazer seus acertos de "emparelhamento". Essa era uma convenção parlamentar segundo a qual um deputado que precisasse se ausentar da Câmara em determinada votação podia "emparelhar-se" com outro deputado do partido oposto. Nenhum dos dois comparecia e, assim, a votação não era afetada. Isso era especialmente útil para parlamentares governistas, que com frequência se ausentavam em missões oficiais. Útil também para deputados que se encontravam doentes, que eram loucos ou que precisavam comparecer a um enterro.

A conferência foi um estrondoso sucesso, como quase todas são. De início, o presidente Tupper disse que o primeiro-ministro era um grande homem e que o reversalismo era bom. Deputados e senadores, oligarcas e intelectuais dos *think tanks* tiveram a alegre sensação de que o mundo estava se configurando segundo seus sonhos. A história estava do lado deles. O banquete na noite de 18 de dezembro foi tão magnífico quanto os vários banquetes que o antecederam. Após os discursos, uma orquestra completa acompanhou um cover de Frank Sinatra numa interpretação inspiradora de "My Way". Depois, uma sósia de Gloria Gaynor fez com que setecentos convivas se pusessem de pé, com os olhos marejados, ao cantar "I Will Survive".

No momento em que todos se sentavam, os celulares de quarenta convidados vibraram ao mesmo tempo. O líder do governo os ordenava a voltar imediatamente a Londres. O transporte por terra já os esperava do lado de fora do hotel. O voo sairia em duas horas. Tinham dez minutos para fazer as malas. Deveriam estar na Câmara às onze horas da manhã seguinte para o voto crucial sobre o reversalismo. O sistema de emparelhamento havia sido rompido.

Os ingleses deixaram o salão de banquetes sem tempo de se despedir dos novos amigos. Como xingaram seus colegas trabalhistas no trajeto até o aeroporto Ronald Reagan! Que vergonha serem arrancados do paraíso devido à perfídia daqueles em quem haviam tolamente confiado. Como os deputados em sua maioria estavam irritados demais para poder dormir, descontaram no carrinho de bebidas e imprecaram o tempo todo, até descerem em Heathrow. Por causa do trânsito pesado nas imediações de Chiswick, eles chegaram à Câmara minutos antes que tocasse o sino que anuncia uma votação. Só quando os Foliões de Washington, como vieram a ficar conhecidos, atravessaram o vestíbulo é que repararam na ausência de seus colegas de emparelhamento. A lei tinha sido aprovada com maioria de vinte e sete votos. O resto, tal como as pessoas ficaram dizendo ao longo de toda a manhã, era "história". No dia seguinte, a Lei do Reversalismo recebeu o assentimento real e passou a vigorar.

Obviamente, foi um escândalo constitucional, uma desgraça. Urros raivosos da parte da imprensa continuísta. Os quarenta deputados trabalhistas que haviam se emparelhado enviaram uma carta ao *Observer* denunciando colericamente as "manobras sujas e vergonhosas" do governo de Sams. Houve pedidos de um recurso judicial.

"Vamos sobreviver a isso tudo. Vai dar certo. Espere para ver", Jim disse a Jane Fish ao telefone. Mais tarde, providenciou para que uma caixa de champanhe fosse entregue no gabinete do líder do governo.

Naquela noite, ele concedeu uma longa entrevista para o canal de televisão da BBC. Num tom de voz grave e equilibrado, disse: "Pedir desculpas? Deixe-me explicar algo fundamental. Neste país não temos uma Constituição escrita. O que temos, em vez disso, são tradições e costumes. E sempre os honrei, mesmo quando ao fazer isso contrariava meus melhores interesses. Ora, cabe entender que existe uma longa e honrosa tradição na Câmara de romper com o esquema de emparelhamento. Não faz muito tempo, mas, antes que eu assumisse a função de primeiro-ministro, uma deputada do Partido Liberal Democrata estava em trabalho de parto enquanto seu colega no emparelhamento, obedecendo às ordens do líder, votava sobre uma questão duramente disputada. Como é de conhecimento de todos, em 1976 o altamente respeitado Michael Heseltine pegou o cetro cerimonial e o sacudiu diante de todos os deputados para comemorar, por assim dizer, a quebra de um emparelhamento. Vinte anos depois, três representantes nossos foram emparelhados não apenas com três deputados ausentes do Partido Trabalhista, mas também com três liberais democratas. Os trabalhistas desrespeitaram o emparelhamento em inúmeras ocasiões. Adoram contar isso tarde da noite no Strangers' Bar. Todos esses exemplos criaram um costume de trapaça que se transformou em prática corriqueira. É constitucionalmente correto. Mostra ao mundo que o Parlamento é, acima de tudo, um organismo virtuoso mas falível, caloroso e vibrante como tudo que é humano. Gostaria de acrescentar também que o emparelhamento é bem menos comum nas votações importantes. Foi muito certo trazer de volta aqueles quarenta deputados de Washington para a Câmara quando estava em jogo uma questão de vital importância para a nação. É claro que a oposição está esperneando. É natural que o faça. Alguns deles estão aborrecidos porque Horace Crabbe votou conosco. Por isso, em resposta à sua pergunta, nem eu nem nenhum membro de meu governo temos por que nos desculpar".

Não caiu neve no dia de Natal, mas ela chegou logo depois. Houve uma pequena nevada no dia 1º de janeiro, véspera do feriado bancário que marcaria o Dia R. Cinco centímetros de neve não foi impedimento para ninguém. Milhões de pessoas correram para as lojas a fim de gastar dinheiro com o objetivo de pagar por seus empregos quando voltassem a eles depois do feriado. Como já era esperado, ocorreram algumas poucas dificuldades típicas do lançamento de qualquer grande projeto. Fãs compareceram a um concerto de Justin Bieber esperando ser pagos. O evento foi cancelado. Muita gente se postou junto aos caixas eletrônicos sem saber se devia enfiar as notas na abertura antes utilizada para inserir o cartão. Mas naquele dia foram registradas as maiores vendas no mês de janeiro em toda a história. As lojas ficaram vazias — na opinião de certos observadores, um grande incentivo à economia. Pouquíssima atenção foi dada ao fato de que St. Kitts e Nevis se retirara do acordo comercial.

O primeiro-ministro, ainda tomado pelo espírito natalino e ostentando um ar folgazão ao usar uma coroa de papel cor-de-rosa, espichado sem sapato numa poltrona e com um copo de uísque sem gelo na mão, ficou observando, cercado de uns poucos assistentes, as tomadas de helicóptero das filas de mais de um quilômetro ao longo da Oxford Street. Ele gostaria de dizer em voz alta, mas deixou que as palavras murmurassem em seu cérebro: tudo feito, sua tarefa estava terminada. Em breve reuniria os colegas e os informaria de que era chegada a hora de iniciar a longa marcha para o palácio, onde seriam recebidos como heróis por sua tribo.

\* \* \*

Na tarde anterior à última reunião ministerial, o premier mandou todos os seus auxiliares para casa e deu ordens ao policial que ficava junto à porta principal para que a deixasse aberta. Todos os ministros deveriam abandonar de forma organizada os corpos tomados por empréstimo nos gabinetes de trabalho, prontos para serem devolvidos a seus donos. Jim deixou seu próprio corpo na cama do sótão. Por isso, impôs para a reunião um código de vestuário bem rigoroso: exoesqueletos. Achou que seria adequado se encontrarem na mesa da sala de reuniões ministeriais, mas, tão logo eles chegaram ao local, viram que seria uma escalada terrivelmente difícil e arriscada, porque os pés da mesa eram muito bem encerados. Por isso, se congregaram num canto da sala, atrás de uma cesta de papéis, e ali formaram um imponente círculo. O premier estava prestes a fazer seus comentários iniciais, quando foi interrompido pelo coro que cantou "Happy Birthday" com pipilos entusiásticos mas desafinados. Depois, olharam inquietos para a porta. O policial de serviço não os ouvira.

A reunião foi conduzida em feromônio, que é dez vezes mais rápido que o inglês normal. Antes que Jim pudesse falar, Jane Fish propôs um voto de agradecimento. Elogiou a "determinação do premier, combinada, de modo singular, com um charme e senso de humor infecciosos". A Grã-Bretanha agora estava sozinha. O povo havia se manifestado. A força intelectual do líder de nosso partido havia feito com que a nação cruzasse a linha. O destino estava nas mãos do povo. O reversalismo se transformara em realidade. Não mais vacilos ou delongas! A Grã-Bretanha estava sozinha!

Ao pronunciar os slogans tão queridos, ela foi tomada pela emoção e não pôde prosseguir, mas não importava. Suas palavras foram recebidas com um aplauso crescente, com fervorosos sussurros de carapaças e farfalhar de asas. Então, cada ministro acrescentou algumas palavras, terminando com o novo ministro do Exterior, Humphrey Batton, recém-promovido do Ministério da Defesa. Ele incitou todos a cantar "For He's a Jolly Good Fellow".

Para fazer seu discurso, o premier se pôs no centro do círculo. Ao falar, suas antenas vibravam de emoção enquanto seu corpo girava lentamente no lugar, para garantir que tinha a atenção de todos.

"Queridos colegas, muito obrigado por essas palavras generosas. Elas me tocam profundamente. Nesses derradeiros momentos de nossa missão, temos um dever para com a verdade. E existe uma que nunca escondemos de nossos brilhantes cidadãos. Para que a poderosa maquinaria de nossa indústria, finanças e comércio opere ao inverso, ela precisa, em primeiro lugar, diminuir seu ritmo e parar. Haverá problemas, talvez extremamente dolorosos. Não duvido que, ao suportá-los, o povo dessa grande nação sairá mais forte. Mas essa já não é uma preocupação nossa. Agora que nos livramos de nossas formas temporárias e desagradáveis, há verdades mais profundas que podemos nos permitir comemorar.

"Nossa espécie existe há pelo menos trezentos milhões de anos. Apenas quarenta anos atrás, nesta cidade, éramos um grupo marginalizado, desprezado, objeto de repugnância ou escárnio. No melhor dos casos, éramos ignorados. No pior, odiados. Mas nos aferramos a nossos princípios e, muito devagar no início, mas com ímpeto crescente, nossas ideias se fortaleceram. Nossa crença básica permaneceu intocada: sempre agimos em favor de nossos melhores interesses. Como sugere nosso nome latino, *blattodea*, somos criaturas que evitam a luz. Entendemos e amamos o escuro. Em tempos recentes, nesses últimos duzentos mil anos, vivemos lado a lado com os humanos e aprendemos seus gostos particulares pela escuridão, que não prezam tanto quanto nós. Mas onde ela predominou entre eles, ali nós prosperamos. Onde eles optaram pela pobreza e pela imundície, ali nos tornamos mais fortes. E, por meios tortuosos, após muitas tentativas e fracassos, passamos a entender as precondições para essa ruína humana: guerra e aquecimento global, bem como, em tempos de paz, as hierarquias estáticas, a concentração de riqueza, as superstições enraizadas, os boatos, as polarizações, a descrença na ciência, no intelecto, nos estrangeiros e na cooperação social. Vocês conhecem a lista. No passado, enfrentamos grandes adversidades, inclusive a construção de esgotos, a preferência odiosa pela água pura, a elaboração da teoria dos germes como causa das doenças, os acordos de paz entre as nações. Na verdade, nossos números caíram por causa desses e de muitos outros malefícios. Mas reagimos. E agora espero e creio que pusemos em marcha as condições para um renascimento. Quando essa loucura especial, o reversalismo, tornar mais pobre a população humana, como deverá acontecer, viveremos dias de glória. Se pessoas comuns, bondosas e decentes foram enganadas e irão sofrer, certamente será um consolo para elas saber que outras criaturas comuns, bondosas e decentes, como nós, desfrutarão de mais felicidade, mesmo que nossa população venha a se multiplicar. A soma líquida do bem-estar universal não será reduzida. A justiça permanecerá constante.

"Nos últimos meses vocês trabalharam duro em suas missões. Eu os congratulo e agradeço a vocês. Como todos viram, não é fácil ser *Homo sapiens sapiens*. Os desejos deles com frequência estão em dissonância com sua inteligência. Ao contrário de nós, que somos inteiriços. Cada um de vocês usou um ombro humano para fazer girar a roda do populismo. Viram o fruto de seus esforços, pois a roda está começando a se mover. Agora, meus amigos, é hora de iniciarmos nossa jornada rumo ao sul. Rumo à nossa querida casa! Fila indiana, por favor. Lembrem-se de virar à esquerda ao cruzarem a porta."

Ele não mencionou isto, mas sabia que cada ministro tinha consciência dos perigos que enfrentaria. Era pouco mais de quatro horas de uma tarde nublada, quando se esgueiraram pela porta da frente e passaram pelo policial de plantão. Ficaram gratos pela luz mortiça de um dia de inverno. Por causa dela, eles não viram a pequena criatura que corria para o Número Dez a fim de retomar sua vida. Meia hora depois, o grupo de Jim passava por baixo dos portões da Downing Street e entrava na Whitehall. Atravessaram a calçada e desceram para a sarjeta. A montanha de estrume havia muito desaparecera. A floresta ambulante de pés na hora do rush trovejava acima deles. Levaram noventa minutos para chegar à praça do Parlamento — e foi ali que se deu a tragédia. Esperavam que o sinal luminoso abrisse, prontos para atravessar a rua a toda a velocidade. Mas Trevor Gott, o chanceler do condado de Lancaster, se precipitou, como às vezes fazia, e disparou cedo demais, desaparecendo sob a roda de um caminhão de coleta de lixo. Quando os carros pararam, todos os ministros correram para o meio da rua a fim de ajudá-lo. Ele estava caído de costas, verdadeiramente bidimensional. Debaixo de sua carapaça, saía uma substância grossa e quase branca, uma iguaria muito apreciada. Naquela noite haveria um banquete para os heróis, e como seria divertido, com tantas histórias extraordinárias para contar! Antes que o sinal abrisse de novo, seus colegas tiveram tempo suficiente para pegar Trevor e repor reverentemente a substância em seu ventre. Feito isso, com seis ministros segurando cada qual uma de suas pernas, o levaram para o Palácio de Westminster.

# Posfácio

Devido à negociação obstinada e penosa de um primeiro-ministro, e depois de outro, ao caos e à paralisia do Parlamento, a duas eleições gerais e a uma amarga polarização em todo o país, a Grã-Bretanha ultimamente vem tentando realizar a mais absurda e masoquista ambição jamais contemplada na história destas ilhas. O resto do mundo, com exceção dos presidentes Putin e Trump, observa tudo com tristeza. Se conseguirmos algum dia sair da União Europeia, iniciaremos, na melhor das hipóteses, uma difícil caminhada de volta a algo semelhante ao ponto em que nos encontrávamos quinze anos atrás, com múltiplos arranjos de comércio, de cooperação científica e de segurança, bem como com centenas de outros acordos necessários. Por que estamos fazendo isso conosco? Meu primeiro-ministro, que é uma barata, dá à chanceler alemã a única resposta possível: *porque sim*.

*A barata* foi concebido naquele ponto do caminho em que o desespero se encontra com o riso. Muitas pessoas se perguntam se o processo do Brexit extrapolou a sátira. Que romancista perverso seria capaz de imaginá-lo? Ele é, em si mesmo, uma tortuosa autossátira. Talvez só nos reste a zombaria, a tristonha consolação do riso.

O momento do Brexit pode ou não enfim chegar, mas nós iremos nos questionar sobre ele por muito, muito tempo. Mentiras, financiamentos escusos e o envolvimento russo preocuparão nossos futuros historiadores. E eles sem dúvida estudarão a cegueira causada por uma espécie peculiar de pó mágico comum aos movimentos populistas que atualmente assolam a Europa, os Estados Unidos, o Brasil, a Índia e muitos outros países. Os ingredientes desse pó são hoje bem conhecidos: extrema irracionalidade, hostilidade contra estrangeiros, resistência à análise paciente, desconfiança dos "especialistas", fanfarronice nacionalista, crença fervorosa nas soluções simples, anseio por uma suposta "pureza" cultural — e um punhado de políticos cínicos desejosos de se aproveitar de tais impulsos.

As condições locais variam, é claro. No Brasil, preferem queimar a Floresta Amazônica. Os Estados Unidos desejam ardentemente o muro mexicano. A Turquia aperfeiçoou a arte de prender jornalistas. Na Grã-Bretanha, enquanto o pó mágico nos fechava os olhos, aprendemos que a ecologia da União Europeia, fruto de longa evolução, afetou de forma profunda a flora na paisagem de nosso país. Arrancar essas plantas está se revelando uma tarefa brutal, e não, como poderia parecer, algo muito simples. Mas isso não fez ninguém parar. Continuamos em frente — *porque sim.*

Há muita coisa historicamente injusta na Grã-Bretanha de hoje, porém bem pouco dessa injustiça deriva da União Europeia. As pessoas favoráveis ao Brexit cuidaram de persuadir o eleitorado do contrário. Tiveram êxito com

37% dos votantes, o suficiente para transformar nosso destino coletivo por muitos anos no futuro. No melhor estilo do pó mágico populista, os elementos pró-Brexit — donos de fundos multimercado, plutocratas, ex-alunos do Eton College e proprietários de jornais — se apresentaram como inimigos da elite. O truque funcionou, e agora essa elite de antielitistas tomou nosso governo.

Na tradição literária inglesa de sátira política, o texto fundamental permanece sendo *Uma modesta proposta*, de Jonathan Swift. Eu tinha dezesseis anos quando o li pela primeira vez. Sua afirmativa (feita sem pestanejar) de que cozinhar e comer bebês seria a solução para um antigo problema foi feroz e grotesca, mas, na opinião de Swift, apenas tão cruel quanto o domínio da Inglaterra sobre a Irlanda.

Com o Brexit, alguma coisa medonha e estranha se infiltrou no espírito de nossa política, e por isso achei razoável invocar uma barata, o mais desprezível dos seres vivos. *A metamorfose* de Kafka se impõe diante de qualquer tentativa de recorrer à troca física entre um homem e um inseto, mas, após a necessária reverência, foi na direção de Swift que me voltei. A questão essencial consistiu sempre em imaginar um projeto político e econômico fadado ao fracasso, capaz de igualar o absurdo do Brexit. Não sei ao certo se obtive êxito com minha ridícula invenção, o reversalismo. Dada a magnitude do Brexit como projeto nacional e o provável impacto que ele terá sobre nós por pelo menos uma geração, talvez nada possa se equiparar à escala de sua insensatez.

Quase dois terços do eleitorado britânico não concordaram em sair da União Europeia. A maior parte do mundo de negócios, da agricultura, da ciência, das finanças e das artes foi contrária ao Brexit. Três quartos dos deputados votaram a favor de permanecer na União Europeia, mas a maioria deles ignorou o interesse público ao se acocorar por trás das lealdades partidárias e da noção de que "o povo falou" — essa sombria expressão soviética, esse pó mágico e entorpecente que cegou a razão e tornou duvidosas as perspectivas de que nossos filhos possam viver e trabalhar livremente na Europa continental.

O populismo, desconhecendo sua própria ignorância, com murmúrios de sangue e terra, anseios nativistas impraticáveis e desprezo trágico pelas preocupações com as mudanças climáticas, pode no futuro invocar outros monstros, alguns deles bem mais violentos e fatídicos que o Brexit. No entanto, em todas as versões, o espírito da barata irá prosperar. Precisamos conhecer bem essa criatura para ter melhores chances de derrotá-la. Acredito que o faremos.

Se a razão não abrir os olhos e prevalecer, então talvez só nos reste o riso.

ESTA OBRA FOI COMPOSTA PELO ACQUA ESTÚDIO EM MERIDIEN E
IMPRESSA PELA GEOGRÁFICA EM OFSETE SOBRE PAPEL PÓLEN BOLD DA
SUZANO S.A. PARA A EDITORA SCHWARCZ EM JANEIRO DE 2020

A marca FSC® é a garantia de que a madeira utilizada na fabricação do papel deste livro provém de florestas que foram gerenciadas de maneira ambientalmente correta, socialmente justa e economicamente viável, além de outras fontes de origem controlada.